JEUNESSE

COLLECTION DIRIGÉE PAR **ANNE-MARIE AUBIN**

D1484039

La Deuxième Vie

DE LA MÊME AUTEURE

Série Sara
La Lumière blanche,
  Montréal, Les éditions Québec/Amérique
  Jeunesse, coll. Titan, 1993.

L<small>A</small> D<small>EUXIÈME</small> V<small>IE</small>

ANIQUE POITRAS

ROMAN

QUÉBEC AMÉRIQUE JEUNESSE

329, rue de la Commune O., 3ᵉ étage, Montréal, (Québec) H2Y 2EI, Tél.: (514) 499-3000

Données de catalogage avant publication (Canada)

Poitras, Anique, 1961 -
La deuxième vie

(Titan jeunesse ; 23)
À partir de 14 ans.

ISBN 2-89037-682-6
I. Titre. II. Collection.

PS8581.0243D48 1994   jC843' .54   C94-941266-X
PS9581.0243D48 1994
PZ23.P64De 1994

Les Éditions Québec/Amérique bénéficient du programme de subvention globale du Conseil des Arts du
Canada.

Dépôt légal :
4ᵉ trimestre 1994
Bibliothèque nationale du Québec
Bibliothèque nationale du Canada

Diffusion :
Messageries ADP
955, rue Amherst
Montréal (Québec) H2L 3K4
(514) 523-1182
extérieur : 1-800-361-4806 • télécopieur : (514) 939-0406

Révision Linguistique : Diane Martin
Montage : Cait Beattie
Montage programme théâtre : Caroline Fortin

Réimpression : octobre 1997
Réimpression : septembre 1998

À mes parents,
à qui j'en ai longtemps voulu
de m'avoir donné la vie.

Aujourd'hui, je les remercie.

Je remercie les anges bienveillants qui
ne cessent de me prouver qu'ils existent,
et leurs messagers de chair et d'os,
qu'ils aient conscience ou non
d'être porteurs de bonnes nouvelles.

A.P

Enfin, après des semaines d'une défensive quotidienne, on retrouve le chemin de soi-même, encore un peu ahuri.

Rainer-Maria Rilke
Lettres à un jeune poète

Je vis, je meurs : je me brûle et me noye,
J'ay chaut estreme en endurant froidure...
Tout en un coup je seiche et je verdoye.

Louise Labbé
Vingt-trois sonnets

Les répliques de *Roméo et Juliette* de W. Shakespeare, en italique dans le roman, sont tirées de la traduction de F.-V. Hugo, Le Livre de Poche, numéro 1066, 1983.

CHAPITRE 1

À côté de la tombe de Serge Viens, on s'apprête à porter en terre le cercueil de Sara Lemieux.

Mon cercueil.

La vue brouillée par d'intarissables larmes, ma mère lance une rose blanche et une poignée de pensées mauves dans le trou qui avale sa fille.

Désespéré, mon père cherche un sens au drame qu'il est en train de vivre. Le cœur de sa fille morte ne permet-il pas à un autre enfant de continuer à vivre ? Il a beau s'accrocher à cette idée, il chancelle à la vue du cercueil qui descend lentement dans la fosse.

On jette à présent de lourdes pelletées de terre noire sur la bière blanche qui abrite ma dépouille.

Il est trop tard désormais pour faire marche arrière. Comme Juliette a rejoint Roméo, je retrouverai Serge. Serge, mon amour.

J'ai peur, tout à coup, dans le noir si noir : « Maman ! »

— Mon poussin, je suis là ! Ce n'est qu'un rêve, Sara. Un mauvais rêve.

Ma mère me berce. Je m'agrippe à son corps. J'enfouis ma tête dans sa poitrine. J'ai du mal à reprendre mon souffle. Dans ses bras chauds et enveloppants, je me rappelle que je suis vivante.

CHAPITRE 2

On ne rentre pas de l'au-delà comme on revient de chez le dépanneur ! Je l'ai appris à mes dépens !

Fous de joie d'avoir retrouvé leur fille chérie, mes parents ne sont absolument pas réceptifs à l'idée d'entendre parler de mon expédition dans une autre dimension. Selon eux, je m'en tire à bon compte : des souvenirs d'hallucinations rapportés du coma. UN POINT C'EST TOUT !

Mon père croit dur comme fer à la réincarnation et à la vie après la mort ; sa bibliothèque contient d'ailleurs plusieurs livres traitant de ces questions. Visiblement, le sujet l'intéresse mais dans la mesure où il n'est pas concerné.

Même Mandoline, ma meilleure amie, a spontanément émis des réserves devant mes révélations. Elle m'assure toutefois que ces divagations passagères n'affecteront pas notre amitié ; ce ne sont pas les termes qu'elle utilise, mais c'est tout comme !

Sans oublier les efforts que je dois faire pour me réadapter à mon enveloppe charnelle ! J'ai l'impression d'avoir enfilé un manteau d'une taille trop petite pour moi.

D'après ma mère, c'est tout à fait normal que je me sente lourde et un peu gauche : je suis ankylosée. UN POINT C'EST TOUT !

Et moi qui rêvais de crier sur tous les toits la belle histoire de Serge et de Sara ! Pour l'instant, je suis muette comme une tombe à propos de ce chapitre Extra-Ordinaire de ma vie. Je n'ai pas envie de me faire étiqueter d'O.V.N.I. : Objet Vivant Non Intégré !

Dans moins de deux semaines, je retournerai à la polyvalente Colette. J'ai à la fois peur et hâte. Peur de ne pas m'y retrouver. Hâte de renouer avec cet environnement connu. En attendant, je lis, je lis et je relis *Roméo et Juliette* de William Shakespeare. Cela m'apaise.

CHAPITRE 3

— Bonjour, Sara ! Comment vas-tu, aujourd'hui ? me demande ma mère.

Pour la première fois, la nuit dernière, mon sommeil n'a pas été bousillé par le cauchemar.

— Mieux. Beaucoup mieux.

Chaque matin, depuis le début de ma « convalescence », maman joue à l'infirmière avec moi et m'apporte le petit déjeuner au lit, sur un plateau garni de fleurs. Aujourd'hui j'ai droit à un joli bouquet rouge : des dalhias du jardin de Liette Viens.

Encore tout endormi, Willie sort de mes couvertures, s'étire de tout son long et vient poser une de ses pattes dans mon assiette.

— Je n'apprécie pas que tu le laisses prendre cette habitude ! me dit ma mère.

Je lui réponds en donnant une bouchée de croissant à mon chat fidèle :

— Je te jure que lui, il apprécie !

Heureusement qu'il est là, ce cher Willie ! À part moi, il est le seul à croire à mon histoire.

Ma mère me tend une lettre adressée à mon nom.

— Qu'est-ce que c'est ?

— Je ne sais pas, l'adresse de l'expéditeur n'est pas écrite, me répond-elle.

Maman lève le store. Les rayons du soleil dansent sur les lattes de bois du plancher. Intriguée, je déchire délicatement l'enveloppe.

La carte illustre un champ d'herbes hautes envahi par des fleurs mauves. Je m'empresse de l'ouvrir.

Chère Sara,

*Mon petit doigt me dit que tu as peut-être besoin de moi et il se trompe rarement.
J'attends de tes nouvelles.
Je t'embrasse et te serre très fort.*

Tante Marie-Loup

Surprise, je dépose la carte sur le plateau, entre le jus d'ananas et les dalhias.

— Maman, c'est toi qui as prévenu Marie-Loup que j'ai été « malade » ?

Je déteste utiliser ce mot, mais je n'ai pas le choix de recourir au compromis pour me faire comprendre.

Le visage de ma mère s'assombrit.

— Bien sûr que non ! répond-elle sèchement.

Évidemment ! Leur querelle dure depuis des siècles et semble garantie pour l'éternité !

Il y a trois ans, maman a mis sa sœur à la porte, en plein souper. Depuis, elle agit comme si Marie-Loup n'avait jamais existé. Tout ça à cause d'une discussion trop animée sur la cruauté envers les animaux en laboratoire. Marie-Loup milite au sein d'une association pour la protection des animaux. Ma mère dirige une entreprise de cosmétiques qui expérimente ses produits sur les lapins.

— Qu'elle ne vienne pas fourrer son nez de pseudo-sorcière dans nos histoires ! Méfie-toi d'elle, Sara ! Ma sœur est complètement « capotée » !

— Suffit-il d'être écolo et végétarienne pour être « capotée » ?

Les yeux de ma mère me lancent des flammèches. Non, des flammes !

— Marie-Louise a toujours été mésa-
daptée, et ce, bien avant de se rebaptiser
Marie-Loup avec un « p » et de sombrer
dans l'ésotérisme ! De toute façon, je ne
veux plus entendre parler d'elle ! Un point
c'est tout !

Un point c'est tout !

— Inutile de grimper dans les rideaux !
Le store, je veux dire ! Tu risques de
l'abîmer ! lui dis-je.

Mon jeu de mots ne l'amuse pas du
tout !

— Allez mange ! Tes croissants vont
refroidir !

Elle a perdu son sourire, ne s'assoit pas
au pied de mon lit. Elle s'enfarge dans le
tapis, jure contre lui, s'en va en refermant
la porte. Presque brusquement.

Si ce n'est pas ma mère qui a avisé
Marie-Loup, qui est-ce ? Et pourquoi cette
carte après trois ans de silence ?

J'attends de tes nouvelles, m'a-t-elle
écrit.

Ma marraine est peut-être un peu sorcière mais pas forcément « capotée » !

CHAPITRE 4

Le serveur apporte nos consommations et repart en chantonnant : « Ah ! Les jolies filles ! Les jolies filles ! »

Marie-Loup sourit, rayonnante. Elle a trois ans de plus que ma mère, mais on lui en donne dix de moins. Ce ne sont pas les produits sophistiqués Belle qui ont contribué à préserver son air juvénile.

— Alors, ma puce, tu reviens de loin ? me dit-elle.

Intriguée, je lui demande :

— Tu l'as su comment ?

Ma tante appuie son menton sur ses mains croisées :

— L'univers nous fait connaître tout ce que nous avons besoin de savoir ! Une de mes copines infirmières était de service la nuit où tu as été hospitalisée.

J'ai un pressentiment.

— Une rousse aux yeux mauves ? lui dis-je.

— Oui, Maruska, répond-elle.

Je ne peux pas m'empêcher de sourire. Maruska, la seule infirmière du département qui ne m'a pas laissé entendre que j'avais eu la berlue.

— Sara, tu n'as pas été victime d'hallucinations !

Marie-Loup a insisté sur chaque mot. Je me sens dégonflée comme une balloune à laquelle on aurait défait le nœud : c'est-à-dire légère-légère-légère. J'ai envie de pleurer tellement ça fait du bien.

— Ma mère m'a dit...

— ... de te méfier de moi ! Je m'en doutais !

Je reste bouche bée :

— Tu lis dans les boules de cristal ou quoi ?

— Mais non ! Je connais ma sœur !... Et disons que j'ai quelques amis du côté des anges, ajoute-t-elle en chuchotant.

Marie-Loup blague-t-elle ou pas ? Peu importe ! Je me sens terriblement bien tout à coup, dans ce café fleuri, en compagnie de cette jolie sorcière amie des anges ! Cela me donne envie de m'ouvrir. J'en ai long-long-long à lui raconter.

— Le plus dur, c'est de ne pas pouvoir parler librement sans risquer d'avoir une étiquette «cinglée» dans le front, tu comprends?

— Tout à fait, me dit-elle en posant sa main sur la mienne.

Les mots se précipitent dans ma gorge, se bousculent, déboulent à toute vitesse. Je ne censure rien : ni le voyage dans une autre dimension ni les retrouvailles avec Serge.

— Tout ce que souhaitent mes parents, c'est que j'oublie! Et ça presse! dis-je, essoufflée par ce marathon de confidences.

Marie-Loup rapproche sa chaise de la mienne.

— Ce n'est pas que tes parents ne veulent pas te croire, Sara. Ils ne le peuvent pas!

Le regard de Marie-Loup s'éclaire davantage :

— Tu sais, au début de ma thérapie, j'étais paralysée par la peur. Ma psychologue me répétait sans cesse : «La vie est un cadeau, la peur, une porte fermée. Si tu n'ouvres pas la porte, tu ne peux pas savoir que le cadeau est dans la pièce d'à côté!»

J'ingurgite ma dernière gorgée de chocolat avant de lui demander :

— Ça veut dire quoi en français ?

— C'est le propre de l'être humain de craindre ce qu'il ne connaît pas, me répond-elle.

— Alors ils seront nombreux à essayer de me convaincre que j'ai rêvé ! dis-je tout bas, en pliant, dépliant et repliant un coin de mon napperon de papier.

— Comment pourrait-il en être autrement ? S'ils n'ont pas la clef pour déverrouiller cette satanée porte, ils préféreront croire qu'il n'y a rien de l'autre côté ! L'important, c'est que toi tu saches, ajoute-t-elle.

Mes doigts déchirent le coin du napperon et déposent le triangle lilas dans la soucoupe blanche.

Si les paroles de Marie-Loup ne me réconfortent qu'à moitié, sa présence me rassure.

Soudain je me sens moins seule, et c'est déjà beaucoup !

CHAPITRE 5

Aujourd'hui est un grand jour : ma prétendue convalescence est officiellement terminée et je célèbre l'événement en compagnie de ma meilleure amie. En d'autres mots, c'est la rentrée scolaire !

En direction de la polyvalente Colette, Mandoline et moi traversons bras dessus, bras dessous la cour envahie par les étudiants .

— Eh, les gars ! Dites-moi pas que notre Mandoline nationale a viré lesbienne !

— Pauvre con ! lance Mandoline à Bob Lahaye et à son troupeau qui s'est esclaffé.

Je glisse à l'oreille de mon amie :

— Le malaise des unes fait le plaisir des autres !

Mandoline leur jette un regard bourré de mépris. Moi, je ne suis pas du tout déçue d'être de retour parmi ces visages familiers, malgré les conneries de ces fils à papa sages comme des images, nouvellement recyclés dans la provocation !

Nous franchissons la porte de Colette allègrement, suivies de Bob Lahaye et compagnie.

Mando continue de me chuchoter les détails croustillants de sa nuit passée avec François II ; ne pas confondre avec l'avant-dernier élu de son cœur, Francisco Premier !

— Il a une langue tellement minuscule ! Je t'assure ! Au début je ne me rendais même pas compte qu'il *frenchait*.

Nous pouffons de rire. Bob Lahaye croit que nous nous moquons de lui. Nous ne faisons rien pour l'en dissuader.

— Salut, Mando ! Allô, Sara !

— Emmanouel mi amor ! s'exclame Mandoline en jouant les *latinas*.

Mon amie s'empresse d'embrasser Emmanuel Ledoux. De mon côté, j'esquisse un sourire à peine déchiffrable !

— Sara, j'ai su que tu avais été très malade, me dit-il.

— Ouais... mais je n'ai pas envie d'en parler.

Je garde mes distances avec Emmanuel depuis le fameux *party* organisé par Mandoline, l'an dernier. En état d'ébriété, j'avais dansé un slow avec lui et failli perdre la tête.

— Je suis content que tu ailles mieux, Sara, ajoute-t-il en souriant.

La cloche annonce le début des cours. J'amorce un pas vers le local de français où nous attend Michel Tardif. À en croire la tension qui monte dans le corridor, la solide réputation de ce prof bête et méchant en terrifie plusieurs !

— Tu ne veux toujours pas t'engager dans l'association étudiante ? me demande Emmanuel.

Je réplique sans hésiter :

— Toujours pas !

— C'est la politique qui y perd ! Dommage ! Bon, je file, j'ai un cours de physique ! Bye, les filles !

— Moi, je t'imagine plutôt bien en politicienne, me dit Mandoline, comme nous arrivons devant le local de français.

Une annonce épinglée au babillard, près de la porte, accroche littéralement mon regard.

Je balbutie :

— Excuse-moi, Mando, je te rejoins tout de suite.

Je n'en crois pas mes yeux. Il est écrit mauve sur blanc :

Fondation de la troupe
COLETTE
Au programme
ROMÉO ET JULIETTE
De William Shakespeare
Auditions : mercredi 16 septembre
16 heures
AUDITORIUM
local 2261

Installée au fond de la classe, Mandoline hausse les épaules pour m'exprimer sa désolation. Faute de place à côté d'elle, je me retrouve assise au premier rang, en face du prof : Michel Tardif alias Bêté-méchant.

CHAPITRE 6

Mercredi, seize septembre, seize heures six.

Ma main droite ne sait toujours pas si elle va pousser ou non la porte du local 2261.

— Excuse-moi ! me dit Greta Labelle.

Légère comme une gazelle, la plus belle fille de l'école passe devant moi sans hésiter une seconde.

Un côté de moi me dit : « Tu n'as rien à faire ici ! » L'autre réplique : « Allez ! Fonce ! »

Je ne sais pas lequel des deux a raison, mais ce serait tentant et si facile de prendre mes jambes à mon cou et de rebrousser chemin.

Je marche de long en large. Je tourne en rond.

Je repense à ce que m'a dit Marie-Loup : «La vie est un cadeau, la peur, une porte fermée. Si tu n'ouvres pas la porte, tu ne peux pas savoir que le cadeau est dans la pièce d'à côté ! »

Seize heures seize. Pour l'instant, la peur a un numéro : 2261. Et chaque seconde d'hésitation est un calvaire interminable.

▲ ▲ ▲

Si je m'attendais à ÇA !

— *Quelle est cette dame qui enrichit la main de ce cavalier, là-bas ?* lance Emmanuel Ledoux en fixant son regard sur moi comme je pénètre dans l'auditorium.

— *Je ne sais pas, monsieur*, répond une jeune femme habillée en noir, assise dans la première rangée.

Ils sont une vingtaine à se retourner pour voir qui vient.

Emmanuel-Roméo enchaîne, sans cesser de me regarder :

— *Telle la colombe de neige dans une troupe de corneilles, telle apparaît cette jeune dame au milieu de ses compagnes !*…

Suis-je visée par cette réplique shakespearienne ? En longeant l'allée pour re-

joindre les autres, je combats fougueuse-
ment la gêne qui persiste à me talonner.

— … *j'épierai la place où elle se tient, et
je donnerai à ma main grossière le bonheur de
toucher la sienne. Mon cœur a-t-il aimé
jusqu'ici ? Non ; jurez-le, mes yeux ! Car
jusqu'à ce soir, je n'avais pas vu la vraie
beauté,* conclut-il.

— Pour une première lecture, Emmanuel, c'était vraiment bien ! J'y ai cru à
ton Roméo ! dit la fille en noir.

Emmanuel quitte la scène et s'empresse
de venir s'asseoir à côté de moi.

— Suivant ! ajoute la metteure en
scène.

Un étudiant que je ne connais pas
monte sur les planches pour lire ses
répliques.

— Pour une surprise, c'en est toute
une ! me dit Emmanuel à l'oreille.

— Pour moi aussi, tu peux me croire !
Alors tu délaisses la politique pour le
théâtre ?

— Mais non ! J'ajoute une corde à mon
arc. La politique et le théâtre sont si
proches parents ! Je suis vraiment très content de te voir ici, tu sais !

— Chut ! fait Greta Labelle.

Elle a raison ; ce n'est pas très respectueux de chuchoter même si le gars qui se démène devant nous ne cesse de trébucher sur les mots.

— Merci, Olivier, dit la metteure en scène. Bel effort !

Je demande à Emmanuel :

— Qui est la fille en noir ? Je ne l'ai jamais vue à Colette.

— Lena Cordeau, une finissante du Conservatoire. Elle vient juste d'être engagée. Elle a l'air super !

— On passe aux Juliette maintenant ! dit Lena en croisant le regard de Nénette Dumouchel, qui a encore beaucoup engraissé cet été et frôle les cent kilos.

— Tu veux rire ou quoi ! Je me vois plutôt en nourrice, pas toi ? réplique Nénette.

Le fou rire de Nénette est contagieux. La metteure en scène lui tape un clin d'œil puis arrête son regard sur moi :

— Tu n'y étais pas lors des présentations ! Je suis Lena Cordeau. Et toi ? me demande-t-elle.

— Sara Lemieux.

— Bonjour, Sara. Tout d'abord, sache que je ne supporte pas les gens qui arrivent en retard. Je me fais bien comprendre ?

Honteuse de me faire gronder devant tout le monde, je m'enfonce dans mon siège et j'acquiesce en hochant légèrement la tête.

— Bien! Alors, Sara, pour quel rôle voulais-tu auditionner? ajoute-t-elle, visiblement sans rancune.

À deux fauteuils du mien, Greta Labelle me dévisage ouvertement. Il est évident que la beauté divine de Colette n'est pas venue ici pour jouer les nourrices!

Je murmure :

— Juliette.

— Va pour Juliette! Tu veux bien commencer?

À l'idée de me lever, je sens mes jambes flageoler.

— Allez! insiste la metteure en scène, les sourcils froncés.

Je me redresse et m'empresse d'obéir avant que Mme Cordeau fasse de moi sa tête de Turc! Dans ma cage thoracique, pendant ce temps, mon cœur déchaîné comme un fou furieux crie : «Pitié!»

Les mains moites, je prends le texte aux pages que Lena vient de m'indiquer. Je connais ce passage sur le bout de mes doigts et je ne sais pas si je dois faire semblant de lire ou non.

Je dépose les feuilles sur le tabouret. Emmanuel m'encourage d'un sourire réconfortant.

À la fenêtre qui donne sur le jardin, Juliette croyait être seule lorsqu'elle confiait à la nuit le secret de son amour. Roméo, en bas, a surpris son aveu. À présent il sait qu'elle est folle de lui.

Je ferme les yeux en inspirant profondément.

Juliette. Je suis Juliette Capulet : *Ah ! Je voudrais rester dans les bons usages ; je voudrais, je voudrais nier ce que j'ai dit. Mais adieu les cérémonies ! M'aimes-tu ? Je sais que tu vas dire oui, et je te croirai sur parole. Ne le jure pas, tu pourrais trahir ton serment : les parjures des amoureux font, dit-on, rire Jupiter... Oh ! gentil Roméo, si tu m'aimes, proclame-le loyalement : et si tu crois que je me laisse trop vite gagner, je froncerai le sourcil, et je serai cruelle, et je te dirai non, pour que tu me fasses la cour : autrement, rien au monde ne m'y déciderait... En vérité, beau Montague, je suis trop éprise, et tu pourrais croire ma conduite légère ; mais crois-moi, gentilhomme, je me montrerai plus fidèle que celles qui savent mieux affecter la réserve...*

J'entends siffler Emmanuel et quelques autres. J'ouvre les yeux.

Je flotte sur un petit nuage rose en retournant m'asseoir.

— Tu as déjà joué Juliette ?

Je prends soudain conscience que Lena s'adresse à moi. Je lui fais signe que non. Puis j'ajoute :

— Enfin, jamais en public.

— Tu as beaucoup de talent, Sara. Allez ! À ton tour, dit-elle à la belle Greta.

— Je voulais jouer Lady Capulet, réplique-t-elle, calée dans son siège.

— Ah bon ! Tu avais dit en entrant...

— ... que je pensais au rôle de Lady Capulet ! répète Greta, un peu agressive.

— Quelqu'un d'autre avait l'intention d'auditionner pour Juliette ? Non ? Allons-y pour Lady Capulet.

— Je te connaissais des talents de musicienne, mais je ne savais pas que tu étais une actrice aussi douée ! Tu es géniale ! me dit Emmanuel en pressant mon poignet.

— Tu es gentil !

— Ça n'a rien à voir avec la gentillesse ! ajoute-t-il.

Je lui dis qu'il n'était pas mal non plus en Roméo.

— Grâce à toi ! Quand je t'ai vue entrer dans l'auditorium, j'ai glissé dans la peau de Roméo comme une main dans un gant !

— Serait-ce trop vous demander d'avoir un peu plus de respect pour vos camarades ? s'exclame Lena Cordeau, exaspérée.

Son intervention tombe pile !

Greta Labelle prête sa voix suave et sa beauté sublime à la mère de Juliette. On entendrait une mouche voler.

CHAPITRE 7

En mettant les pieds dans la maison, je m'écrie :

— Maman ! Maman ! J'ai le rôle !

Syntaxe qu'il fait noir ici ! J'allume. Ma mère dort sur le divan, avec son imper encore sur le dos.

Je marche sur la pointe des pieds pour ne pas la réveiller.

— Sara, c'est toi ? fait-elle, la voix enrouée.

Je reviens sur mes pas. Elle lève la tête, s'appuie sur un coude.

— Mon Dieu, c'est fou ! Je me suis endormie, dit-elle en retirant son manteau.

— Syntaxe que tu es pâle !

— Je dois couver une grippe. Et tout ce boulot, ces temps-ci ! Je n'ai pas une minute à moi ! Toi, ça va ?

Je fais un gros oui de la tête en criant presque :

— Devine quoi ?

— Mon Dieu que tu es énervée !

— Juliette, c'est moi !

— Juliette ? demande-t-elle, intriguée.

— Oui ! Juliette de *Roméo et Juliette* !

— Je ne te suis pas !

Évidemment, je ne lui en avais pas parlé !

— On monte la pièce à l'école et tu sais quoi ? J'ai trouvé ma vocation : je serai comédienne !

— Tiens donc...

Moi qui m'attendais à des « C'est fantastique ! », à des « Je suis fière de toi ma fille ! », je frappe mon nœud !

— Tu te rends compte, maman, de ce que je viens de t'apprendre ?

— Oui, Sara. C'est très bien. As-tu faim ? Je vais préparer des pâtes. Je suis crevée, tu ne voudrais pas mettre l'eau à bouillir ?

Quel est le comble de la débandade ? Annoncer à sa mère qu'on a trouvé sa vocation et s'entendre demander de faire bouillir de l'eau ! Pourquoi pas se faire cuire un œuf, tant qu'on y est ?

C'est moi qui vais bouillir si je reste là !

J'ai envie de partager ma joie ! Pas de la ravaler !

▲ ▲ ▲

Je referme la porte de ma chambre, m'empare du téléphone et me laisse tomber à plat ventre sur mon lit. Je décroche le combiné. Syntaxe ! Je ne connais pas son numéro. Je raccroche.

Je cherche mon carnet d'adresses dans le fouillis de mon sac à dos.

Je n'aime pas ranger mes affaires. Je n'aime pas les chercher non plus !

Je finis par secouer le sac de toile : une pluie de miettes de vieux biscuits, de bouts de mines et de mousses tombe sur ma couette fraîchement lavée. De quoi faire rager ma mère, en trois dimensions et en Dolby stéréo !

Où est-ce que j'ai foutu mon carnet, syntaxe ?

... Sur la table de chevet ! A-t-on idée aussi de s'en servir comme sous-verre !

— Allô, Marie-Loup ?

— Sara ! Quelle belle surprise !

— Écoute, j'ai du mal à tenir en place ! En fait, je suis folle comme un balai ! dis-je en ramassant les miettes de biscuits avec mes doigts. Es-tu bien assise ?

— Voilà qui est fait !

— Ton petit doigt ne t'a rien dit, par hasard ?

— Oui, que ma filleule m'appellerait pour m'annoncer... qu'elle jouera Juliette !

La réponse de Marie-Loup me stupéfie.

— Eh bien, dis à ton petit doigt qu'il a frappé en plein dans le mille !

— Ça ne m'étonne pas ! Sara, c'est fantastique ! Je suis fière de toi ! Et mon petit doigt ajoute que tu vas faire un malheur !

— Syntaxe que tu es fine ! Bon, je te laisse, il faut que j'annonce la bonne nouvelle à Mandoline ! Je t'embrasse.

— Moi aussi, Sara. À très bientôt !

Je raccroche le combiné et m'écrie en crachant les miettes : «YARK !» J'ai pris ma bouche pour une poubelle, tellement je suis énervée !

▲　▲　▲

Lorsqu'elle apprend que je me suis présentée à l'audition, Mandoline me crie au bout du fil :

— J'en tombe en bas de ma chaise !

Si elle ne me répète pas dix fois :
« C'est super-au-boutte-de-toutte-mais-
j'en-reviens-pas-pantoute ! » elle ne le dit
pas une fois.

Elle ajoute :

— J'en connais un qui doit être content !

Je la traite de langue sale et lui dis :

— À demain !

Je suis perplexe en raccrochant. Visiblement, Mandoline était déjà au courant de
la nouvelle. Sinon elle n'aurait pas dit :
« J'en connais un qui doit être content ! »

Mais pourquoi a-t-elle feint la surprise
quand je lui ai annoncé que je serais
Juliette ?

▲ ▲ ▲

Là, j'ai faim en syntaxe !

Mon ventre crie famine. Je crie à ma
mère :

— Est-ce que c'est prêt ?

Elle ne répond pas. Je relance la question.

Pas de réponse.

Je décide d'aller voir de près.

Il fait noir à la cuisine. Pas d'eau qui
bout sur le feu ni de mère à l'horizon.

Elle s'est rendormie sur le canapé, emmitouflée dans son imper. Ce n'est pas dans ses habitudes de piquer un somme ; deux, c'est déjà très louche.

CHAPITRE 8

Ce matin je voudrais rapetisser. Avoir cinq ans. Me faire bercer, border, raconter des histoires.

J'ai encore taché mes draps pendant la nuit. Mes règles irrégulières me jouent immanquablement des tours.

Vite, avaler au plus sacrant deux comprimés de Motrin IB avant d'être complètement dévastée par ces épouvantables douleurs menstruelles.

J'envie Mandoline. Réglée comme une montre suisse, elle ne souffre d'aucun symptôme, ni physique ni émotionnel.

Aujourd'hui, jour 3, jour chargé ! Premier cours de l'avant-midi : français, avec nul autre que le très baveux Bêtéméchant. Je ne sais toujours pas si je peux piffer ou non ce prof !

Ça y est, syntaxe ! Je commence à avoir mal au ventre !

▲ ▲ ▲

En allant porter mes draps au lavage, je remarque que la porte de chambre de ma mère est fermée. Or il est huit heures trente.

J'ouvre. Maman dort. Je lui dis :

— Tu prends congé, aujourd'hui ?

Pas de réponse. Je m'approche d'elle et la secoue légèrement. Elle ouvre les yeux et regarde son réveille-matin.

— Sincicroche ! J'ai une réunion avec le conseil d'administration à neuf heures moins quart !

Elle se lève sans me voir et se précipite dans sa penderie.

Willie saute en bas du lit. Depuis quand ma mère dort-elle avec mon chat ?

▲ ▲ ▲

— Salut, Juliette !

Emmanuel m'a fait sursauter. Ça le fait rire, moi pas ! Il s'en aperçoit et prend les devants pour ouvrir la porte de l'auditorium.

— La galanterie, ça n'excuse pas tout, je sais ! me dit-il en m'invitant à entrer la première.

Je me surprends à lui répondre :

— Ah, Roméo ! Ta gentillesse et ton honnêteté me désarment !

— Eh que tu es belle quand tu souris ! ajoute-t-il.

Il est très convaincant ! Je rosis.

— Excusez-moi ! fait Lena Cordeau en courant derrière nous, dans l'allée centrale. Je ne pensais jamais arriver à temps ! Panne sèche sur la métropolitaine en pleine heure de pointe ! Faut le faire ! Enfin... Bon, tout le monde est là ? fait-elle en jetant un œil à la troupe.

Emmanuel s'installe dans la deuxième rangée. Je vais m'asseoir à côté de Nénette Dumouchel, en avant. La bouche pleine, elle jure que ces caramels hollandais super fondants l'entraînent directement dans le nirvana !

— Goûtes-y ! insiste-t-elle en me tendant le paquet.

J'hésite. Le sucre, c'est fatal quand on est menstruée.

— Non merci !

Lena marche devant nous, les mains dans les poches de son blouson de cuir noir :

— Aujourd'hui, j'aimerais que chacun d'entre vous exprime la vision qu'il a de son personnage. Comment vous l'imaginez, le sentez, d'accord ? Mais d'abord, je vous trace un petit portrait de l'auteur. Vous saviez qu'il avait aussi été comédien ?...

Elle parle de Shakespeare comme une fille amoureuse par-dessus la tête du gars qu'elle aime.

Je sens un regard posé sur moi : celui d'Emmanuel. Il est bien gentil, le futur Roméo, mais ses grands yeux toujours braqués sur moi commencent à m'agacer royalement !

CHAPITRE 9

Dernièrement, j'ai grandi de trois centimètres et pris quatre kilos. Mes pieds étouffent dans mes bottines et mes vêtements me pètent sur le dos. Mes seins grossissent à une allure folle ; les soutiens-gorge de ma mère me font. Pour mon anniversaire, elle renouvelle ma garde-robe. Ce n'est pas un luxe mais une nécessité ! Avant-hier, à la piscine, il m'a semblé que tous les gars de la classe reluquaient mon imposante poitrine. Bob Lahaye m'a glissé à l'oreille que j'avais des belles boules. Une chance qu'il ne l'a pas crié sur tous les toits pour prendre sa troupe à témoin ! Je n'osais plus sortir de l'eau tellement j'étais gênée !

Aujourd'hui, 4 octobre, j'ai quatorze ans et j'arriverai en retard à ma répétition. L'annulaire de ma main gauche est enflé.

Au début, je n'y ai pas prêté attention. Incapable de retirer le jonc que Serge m'avait offert, la veille de sa mort, j'ai dû me rendre à la bijouterie comme on va à l'urgence.

Le bijoutier est obligé de le couper avec des pinces.

— Ne t'inquiète pas, tu ne sentiras rien !

Cet homme ne connaît pas la valeur sentimentale de cet anneau pour parler ainsi ! J'ai l'impression que c'est mon cœur qu'il va trancher !

Le son détone dans mes oreilles. Violemment. CLIC !

— Voilà, ma belle, c'est fini ! me dit-il en me montrant le jonc brisé.

Je m'empresse de lui demander s'il peut le réparer.

— Bien sûr. Une petite soudure et le tour est joué, répond-il.

Rassurée, je lui demande de l'agrandir un peu.

Le bijoutier grimace légèrement :

— Impossible, cet anneau est beaucoup trop mince. Je peux le rapetisser cependant.

Il constate mon désappointement :

— Tu n'auras qu'à le porter à ton petit doigt ! ajoute-t-il, comme si ça allait de soi.

— Ce n'est pas pareil !

— Je le soude ou pas ? demande-t-il en pinçant son menton pour me signaler son impatience.

Je ne sais pas quoi lui répondre. Je lui dis que je vais réfléchir.

Il dépose mon jonc dans une petite boîte, entre deux carrés d'ouate, et me la tend.

En quittant la bijouterie, j'ai un gros pincement au cœur.

▲ ▲ ▲

L'auditorium est vide. Aucune note sur la porte ne mentionne que la répétition est annulée. Bizarre.

Je m'apprête à rebrousser chemin quand soudain le chœur entame :

« Ma chère Sara
C'est à ton tour
De te laisser parler d'amour... »

Cachée derrière le rideau, la troupe sort de sa cachette en continuant de chanter.

Les yeux trempes, je rejoins ma *gang*.

— Yé! Aujourd'hui on mange le dessert avant le plat principal! crie Nénette.

Emmanuel vient vers moi en me présentant la magnifique mousse au chocolat illuminée de feux de Bengale.

— Inutile de souffler, le vœu est garanti! me dit-il.

— C'est Greta qui l'a fait! ajoute Nénette en pointant son doigt vers le gâteau.

— Mais c'est Emmanuel qui a fait les courses! dit Greta.

Je suis vraiment très surprise d'apprendre que Greta Labelle a cuisiné mon gâteau d'anniversaire.

— Bonne fête, Juliette! ajoute Lady Labelle-Capulet en m'embrassant sur les joues.

— On y goûte à ce chef-d'œuvre? Je n'en peux plus, moi, de le regarder! C'est un vrai supplice! s'exclame Nénette en me tendant un couteau, une spatule et une pile d'assiettes en plastique. Allez, coupe! Coupe!

Au grand désespoir de Nénette, Lena me remet une carte d'anniversaire au nom du groupe. Je dois la lire à haute voix:

À notre Juliette préférée,

Nous te souhaitons une longue carrière remplie de succès. Nous sommes tous et toutes convaincu(e)s de ton grand talent de comédienne. N'oublie surtout pas : THE SKY IS THE LIMIT.

Bonne Fête !

Ont signé en ce quatrième jour d'octobre : Roméo, Nourrice, Lady Capulet, Mercutio, Frère Laurent, Tybalt, Montague, Capulet, Lady Montague, Le Prince, Paris, Lena...

— Je t'avertis, Juliette, si tu ne coupes pas ce gâteau immédiatement, je vais poigner les nerfs à deux mains ! s'impatiente Nénette.

Je m'empresse d'exécuter l'ordre de cette chère nourrice, mais le premier morceau lui passe sous le nez. Je l'offre à Lady Capulet.

▲　▲　▲

De retour à la maison, j'ai un peu de mal à ne pas déchanter.

Papa m'a envoyé un chèque, des bises et une invitation pour Toronto par la poste. J'aurais apprécié un coup de fil, même s'il est allergique au téléphone.

Marie-Loup m'offre un souper dans le meilleur resto végétarien de la ville et une heure de super-détente dans un bain flottant. « Cela permet de retrouver la béatitude du fœtus dans le ventre de sa mère, en présumant que celle-ci soit détendue, bien sûr ! » m'a dit ma tante.

Mandoline a oublié mon anniversaire.

CHAPITRE 10

— J'ai couché avec lui, hier soir. Je te jure, Sara, il baise comme un dieu! s'exclame Mandoline.

— Ça baise comment un dieu? J'ai du mal à l'imaginer!

Baiser. Ce mot me rebute, mais je garde cette pensée pour moi. Mandoline me trouve romantique, idéaliste, sainte-nitouche et vieux jeu; ça n'altère en rien notre complicité puisque nous nous foutons la paix avec nos visions du monde et de l'amour.

— Et tout à coup, il s'est mis à m'embrasser entre les cuisses, poursuit-elle, sans gêne, dans le brouhaha de la cafétéria.

Avant de rentrer dans les détails, elle ferme les yeux quelques secondes et fait mine de frissonner. Je la soupçonne de prendre davantage de plaisir à raconter ses aventures (de plus en plus croustillantes) qu'à les vivre.

— Ça s'appelle cunnilingus.

Je lui signale qu'elle ferait une sacrée prof de sexo, mais elle ne m'entend pas.

— Là où ça se gâte, c'est après. On n'a rien à se dire. On se roule les pouces. S'il n'y avait pas la télé, on parlerait de la pluie et du beau temps! Mais ses mains! Ah! ses mains, je t'assure qu'elles en disent long! Et toi, quoi de neuf?

Je commençais à croire qu'elle avait oublié ma présence.

— Je travaille mon rôle...

Mandoline me coupe aussitôt la parole :

— Ouais, depuis que tu fais partie de cette troupe, il n'y en a plus que pour Juliette!

— C'est vraiment fascinant de créer un personnage, lui dis-je.

— Oh, moi, tu sais, je fais ça tout le temps! déclame-t-elle.

Nous éclatons de rire; parce qu'elle n'a pas tout à fait tort. Déguisée aujourd'hui en Moyenne-Orientale, demain elle se fera rockeuse, hippie ou bourgeoise outremontaise. Avec Mandoline, on ne sait jamais à « qui » s'attendre! Surtout ces temps-ci;

mais ça n'a rien à voir avec son habillement. J'ai de plus en plus souvent l'impression qu'elle est là sans y être. Même si elle parle, parle, parle.

— Ma mère m'a fait une de ses crises, ce matin ! J'avais piqué le demi-buste noir en dentelle qu'elle venait d'acheter dans une boutique super chic, rue Laurier...

— Salut, les filles ! Je peux vous déranger une minute ?

— Roméo en personne ! Dérange-nous tant que tu voudras ! Je suis sûre que Juliette n'y voit pas d'inconvénients ! Hein, Juliette ?

Je lui lance un regard signifiant : « Holà-les-nerfs-la-mère ! »

Mandoline hausse les épaules puis rapproche une chaise en signalant à Emmanuel qu'elle est pour lui. Il s'assoit et se penche vers moi :

— En fait, Sara, comme Lena nous l'a suggéré, on a intérêt à préparer nos scènes ensemble en dehors des répétitions. Je te propose qu'on le fasse chez moi après les cours. Ma mère travaille de seize heures à minuit, on aura l'espace et la paix. Qu'est-ce que tu en dis ?

Qu'est-ce que j'en dis, qu'est-ce que j'en dis... J'éprouve un vague malaise à l'idée de me retrouver en tête-à-tête avec Emmanuel. Je ressens surtout un grand plaisir à glisser dans la peau de Juliette.

— OK.

Emmanuel se lève, l'air pressé.

— Tu ne manges pas, Emmanuel ? demande Mandoline.

— Jamais avant un examen de chimie. Les grandes illuminations ne frappent que les estomacs vides ! Sara, on se rejoint au café-étudiant à quinze heures quarante-cinq ?

— D'accord.

Mandoline le regarde s'en aller.

— C'est tout de même un fichu de beau gars, tu ne peux pas le nier ! me dit-elle.

— Je ne le nie pas.

— Il a des petites fesses bien rondes comme je les aime ! En plus, il est intelligent ; ça ne nuit pas ! poursuit-elle en soupirant.

J'ajoute :

— Et gentil.

— Tu l'as remarqué ! Sara Lemieux, tu viens de grimper d'un barreau dans l'échelle de mon estime ! s'exclame Mandoline.

Évidemment, elle me rappelle qu'Emmanuel avait presque réussi à lui briser le cœur, il y a deux ans :

— Dieu sait que je lui ai rôdé autour ! J'ai tenu pendant des mois dans mon rôle de fille réservée, hyper-sensibilisée par les grandes causes écolo ! Mais peine perdue ! Je ne suis pas son genre !

Elle a prononcé la dernière phrase en me dévisageant.

— Qu'est-ce que tu veux, il préfère les saintes-nitouches inaccessibles !

Dans la bouche de Mandoline, une telle remarque est dénuée de méchanceté. C'est sa façon à elle de dire que je n'aurais qu'à lever le petit doigt pour voir Emmanuel se jeter à mes pieds.

Je ne lèverai pas le petit doigt.

— Il faudra bien que tu te déniaises, un de ces quatre !

— Mandoline, je ne suis pas niaiseuse !

— Mais tu ne sais pas ce que tu manques !

— Si, justement.

Serge aurait pu être ici, avec nous, dans cette cafétéria de polyvalente. J'aurais laissé son regard me pénétrer jusqu'au fond de l'âme. J'aurais été impatiente que la cloche annonce la fin du dernier cours pour pouvoir le rejoindre, l'embrasser, longtemps et doucement. J'aurais pu...

— On va faire un tour dehors ? demande Mandoline.

Je fais oui de la tête.

Nous ramassons nos plateaux et allons dans la cour. Mandoline m'entraîne derrière un bosquet et allume un pétard, comme elle dit.

— Tu en veux ? me demande-t-elle.

— Non merci. Je ne sais pas comment tu réussis à suivre la prof de math après avoir fumé un joint.

— Qui a dit que je suivais ? réplique-t-elle.

CHAPITRE 11

Des photos d'Emmanuel, accrochées au mur, me rappellent que je suis chez lui pour répéter la cinquième scène du premier acte de *Roméo et Juliette*.

Je n'arrive pas à entrer dans la peau de mon personnage.

— *... permettez à mes lèvres, comme à deux pèlerins rougissants, d'effacer ce grossier attouchement par un tendre baiser,* me dit le jeune inconnu en prenant ma main.

Mal à l'aise, je la retire.

— Sara, qu'est-ce qui se passe ?

— À propos du baiser...

— Quoi le baiser ?

— Ce n'est vraiment pas nécessaire qu'on s'embrasse aujourd'hui. Il y a suffisamment de répliques à travailler sans...

Aussi bien mettre les cartes sur table :

— Écoute, Emmanuel, j'aime autant que tu le saches, avec moi, tu perds ton temps !

— Ça, c'est toi qui le dis ! réplique-t-il en me souriant légèrement, l'air un peu trop sûr de lui.

Emmanuel me tourne le dos puis se retourne aussitôt.

— Sara, je vais te dire ceci juste une fois : je ne te cacherai pas que ce que je ressens pour toi m'aide énormément à nourrir mon personnage. Je sais qu'il y a un fantôme entre nous, et je respecte ça. Si un jour tu t'aperçois que tes sentiments vont dans le sens que je souhaite, fais-moi signe, d'accord ?

Je suis bouche bée. Mais qu'est-ce qui me prend de lui lancer :

— Il y a tellement de filles disponibles qui rêvent de se faire un petit ami !

Emmanuel m'interrompt en haussant un peu la voix :

— Je ne veux pas UNE fille ! Tu m'intéresses, TOI ! J'ai envie de te connaître, TOI !... Mais je ne suis pas pressé !

Mon malaise ne se volatilise pas.

— Et surtout, tu n'as pas à t'en faire parce que tu me plais, ce n'est pas ta faute ! ajoute-t-il sur un ton beaucoup plus léger.

Nous éclatons de rire. Je n'ai pas du tout envie de sortir mes griffes. Emmanuel ébouriffe mes cheveux :

— On se remet au boulot ? fait-il.

J'acquiesce en fermant les yeux.

Nous ne sommes plus à Montréal, à l'aube du XXIe siècle, mais en pleine Renaissance, à Vérone. Je ne m'appelle pas Sara Lemieux mais Juliette Capulet. Ce soir, mon père donne une grande fête. Le garçon en face de moi n'est pas Emmanuel Ledoux mais l'un de nos invités. Il porte un masque. Je ne le connais pas. Il me regarde. Je ne réussis pas à détourner les yeux. J'essaie, mais je n'y arrive pas. Son regard me trouble. Je n'ai pas ressenti le centième de ce que je suis en train de vivre quand j'ai rencontré Paris, le gentilhomme que je dois épouser.

Je ne vois plus l'inconnu masqué. Je le cherche, discrètement mais désespérément.

Il est à quelques pas de moi. Je suis bouleversée. Il retire son masque. Je devrais m'enfuir. Il se rapproche. Je reste là.

Il prend ma main. Je ne la retire pas.

— *Si j'ai profané avec mon indigne main cette châsse sacrée, je suis prêt à une douce pénitence : permettez à mes lèvres, comme à deux pèlerins rougissants, d'effacer ce grossier attouchement par un tendre baiser*, me dit-il.

Je sens que je pourrais tout lui donner. Je sais que je lui donnerai tout.

Son visage se penche sur le mien. Mon cœur fait trois tours dans ma poitrine. Je rougis.

À l'instant même je redeviens Sara Lemieux et il n'est pas question qu'Emmanuel Ledoux m'embrasse !

CHAPITRE 12

Bêtéméchant nous a suggéré d'oublier que nous faisions une création littéraire : « Laissez votre imagination courir sur la page blanche. Partez à l'aventure ! Ouvrez-vous à l'inconnu. Allez à sa rencontre ! »

— Où vas-tu, cette fois ? demande le prof à Mandoline sur le point de quitter la classe.

— Chez le dentiste. Traitement de canal.

— Si tu continues, très chère, tu ne passeras pas l'année ! ajoute-t-il.

Elle dit : « Ouais ouais ! », l'air complètement dans les vapes, avant de refermer la porte derrière elle.

Mandoline commence à m'inquiéter sérieusement. Un matin, il y a deux semaines, elle a fait une entrée remarquée avec son *look* Marilyn Monroe. Depuis sa dernière métamorphose, elle sèche ses cours de plus en plus souvent et les raisons qu'elle donne tiennent de moins en moins debout.

Dès que j'essaie d'aborder le sujet, elle se défile. Elle sait que je ne crois pas à ses prétextes, mais elle joue à faire semblant, même avec moi. Notre amitié nous glisse entre les doigts comme une poignée de sable fin et cela m'attriste. Je l'aime tellement, cette fille !

Et qui est cet oncle qui vient l'attendre, dans sa Porsche rouge, à la sortie de l'école pour l'amener à ses rendez-vous chez le dentiste ou chez « sa tante malade » ?

Mandoline me ment. Elle tolère ma présence dans la mesure où j'avale ses histoires de moins en moins croustillantes et de plus en plus indigestes.

Je jette un œil à la fenêtre. Mon amie court à la rencontre de son soi-disant oncle. Elle monte dans le bolide rouge. Elle a troqué son jeans pour une minijupe noire moulante et des souliers à talons hauts.

Là, si je ne reviens pas à ma création, c'est moi qui aurai des problèmes !

Je relis ce que j'ai écrit.

UN JOUR COMME LES AUTRES

Il faisait très beau, ce jour-là. J'attendais l'autobus. Il se mit à pleuvoir. Je n'avais pas apporté mon parapluie même si ma mère me l'avait conseillé.

L'autobus arri

Complètement pourri. Je froisse ma feuille. L'heure avance. Laisser courir l'imagination sur la page blanche. Courir.

L'HOMME À LA PORSCHE

Il avait la cinquantaine passée, une grosse bedaine et l'œil mauvais. Sa passion : les jeunes filles en fleurs. Il ne les aimait pas mais se servait d'elles.

Sa prochaine victime s'appelait Marie-Dodeline, une rêveuse anonyme parmi tant d'autres. Sournoisement, il la briserait, à grands coups de rêves déguisés : des couteaux aux lames empoisonnées qu'il lui enfoncerait en plein cœur.

Rasa, sa meilleure amie, pressentait le drame qui flottait au-dessus d'elle, tel un nuage de brume épaisse sur le point de l'envelopper. Un manteau taillé dans un tissu de mensonges.

Rasa aurait tant voulu arracher Marie-Do des griffes de l'homme à la Porsche rouge.

— Stop ! Déposez vos stylos !

La voix de Bêtéméchant me fait sursauter.

Ma main avait du mal à suivre les mots tellement ils couraient vite sur la page.

CHAPITRE 13

La nuit dernière, j'ai rêvé que nous étions à table, ma mère et moi. Malgré les traits de son visage adulte, maman avait la taille d'un bébé. Je lui avais préparé son petit déjeuner et l'aidais à manger avec une immense cuillère en or massif. Soudain, elle a pris le bol de nourriture avec l'intention de le lancer par terre. J'ai posé ma main sur son bras, très doucement, pour empêcher son geste et je lui ai fait remarquer la couleur de la bouillie : violet. Puis je lui ai chuchoté : « Tu ne dois pas gaspiller ce précieux aliment. » Ensuite, j'ai mis une main sur sa tête. Un grand frisson m'a traversée. Je pouvais voir, à l'intérieur de son cerveau, une ligne pointillée noire. J'ai dit alors à ma mère. « Ne t'inquiète pas, je suis là. » Et je pensais : « Je ne dois pas l'affoler. » J'ai alors plongé ma main

dans la bouillie violette et appliqué la sub-
stance gluante sur mon visage, en insistant
sur mes paupières. À cet instant, j'ai eu
conscience que j'étais en train de rêver.

▲ ▲ ▲

Au petit déjeuner, maman se plaint de
maux de tête persistants. Je lui demande
pourquoi elle ne consulte pas un médecin.

— C'est la compagnie qui me sort par
les oreilles! Avec toutes ces compressions
budgétaires, nous devons multiplier nos
tâches par trois.

Ma mère a maigri. Elle n'accorde plus
autant d'importance à son maquillage.
À la maison, elle est moins maniaque de
l'ordre. Souvent, elle s'en va sans faire son
lit.

Encore ce matin, elle est partie sans me
dire au revoir.

▲ ▲ ▲

À la première pause de l'avant-midi, je
m'empresse de téléphoner à Marie-Loup.
Je lui parle de mon rêve et je lui fais part
de mes inquiétudes à propos de maman et
de Mandoline. Elle m'écoute attentive-

ment et me rappelle que je peux compter sur elle en tout temps.

Je suis perplexe en raccrochant. Marie-Loup n'a pas dit : « Ne t'en fais pas, voyons ! Ce n'est rien. » C'est ce que j'aurais voulu entendre.

▲ ▲ ▲

— Pourquoi tant de mystère, Sara ? Tu te lances dans l'espionnage ou quoi ? s'exclame Emmanuel.

— Pour l'instant, ne me pose pas de questions, d'accord ? Si tu peux m'aider, tant mieux, sinon, je me débrouillerai autrement.

— En fait, tu me demandes de manquer un labo de physique pour jouer les chauffeurs de madame ? ajoute-t-il, déçu que je ne veuille pas lui divulguer le secret de mon plan.

— Emmanuel, je ne te demanderais pas ce service si ce n'était pas très important !

Il choisit de me faire confiance, même s'il préférerait que je lui explique dans quelle galère je désire l'entraîner.

— La confiance, c'est la première condition de l'amitié, non ? me dit-il en esquissant un sourire.

— Tu es vraiment sympa, Emmanuel.

Il ajoute :

— Je vais faire de mon mieux, mais je ne peux pas te garantir que ma mère acceptera de me prêter sa voiture.

La cloche sonne. Je m'apprête à quitter le café-étudiant pour me rendre à mon cours d'écologie. Emmanuel retient mon bras :

— Une dernière chose, Sara. Je suis content qu'il y ait une petite place pour moi dans ton polar. Vraiment, ça me touche ! Mais c'est dommage que tu n'aies pas suffisamment confiance en moi pour me mettre carrément dans le coup !

Nous n'avons plus le temps de discuter. Il me téléphonera ce soir, pour me confirmer s'il aura ou non la voiture de sa mère.

En me dirigeant vers la classe, je réfléchis à la remarque d'Emmanuel. Il a raison, chacun a droit à la confiance de l'autre. N'est-ce pas ce que je reproche à Mandoline, depuis quelque temps, de me refuser la sienne ?

CHAPITRE 14

Assis derrière le volant, Emmanuel ronge son frein.

— Écoute, il est encore temps de changer d'avis. Tu n'as pas signé de contrat, lui dis-je.

À travers la grille clôturant Colette, nous apercevons la Porsche rouge.

— Excuse-moi, Sara, c'est vrai que je ne me sens pas très à l'aise à l'idée de...

Emmanuel prend souvent le temps de peser ses mots avant de les prononcer.

— ... coincer... une amie.

— Mais tu as vu dans quel état elle est, notre amie ? Il ne s'agit pas de la coincer mais de lui prouver qu'on ne se fiche pas d'elle. À quoi servent les amis, s'ils ne sont pas là quand on est mal pris ?

Quand j'étais complètement abattue, l'an dernier, que plus rien ne me faisait rien, que je me balançais de tout, même d'elle, Mandoline ne m'a pas laissée tomber.

— Si elle avait besoin de nous, elle nous le ferait savoir, non ?

— Peut-être pas ! Je te l'ai dit, Emmanuel, tu n'es pas obligé de m'accompagner. Je peux prendre un taxi.

La porte de l'entrée principale s'ouvre. Emmanuel et moi, nous nous tapissons sur les banquettes de la Golf pour ne pas être démasqués.

Mandoline sort et court à la rencontre de l'homme à la Porsche. Ça me fait froid dans le dos.

— Et moi, je t'ai dit que tu pouvais compter sur moi, alors allons-y ! fait Emmanuel en démarrant.

— Garde tes distances pour qu'elle ne nous voie pas !

— Oui, chef !

Moi non plus je ne me sens pas vraiment en paix de faire cette chasse à ma meilleure amie. Mais c'est plus fort que moi, plus fort que tout : j'ai besoin de savoir ce qui fait fuir Mando. Je veux en avoir le cœur net et je l'aurai.

La Porsche se dirige vers le pont Papineau. Nous sommes à quelques mètres de l'île de la Visitation. Je n'y suis jamais retournée depuis la nuit où Serge m'a offert mon jonc, la veille de sa mort.

La Porsche continue de foncer à toute allure en s'engageant dans la sortie de l'autoroute. Nous entendons ses pneus crier.

— Ce type est complètement fou ! s'exclame Emmanuel.

La Golf ralentit avant d'amorcer le virage :

— Excuse-moi, Sara, mais je n'ai pas envie de finir la journée à la morgue ! ajoute-t-il.

Nous arrivons à Laval.

Un camion transportant un yacht s'interpose entre la Porsche et nous.

Nous avons perdu la Porsche de vue.

— Je fais de mon mieux, me dit Emmanuel.

— Je sais.

Le camion signale qu'il tournera à droite.

La Porsche est déjà stationnée. À droite.

Mon cœur capote.

Emmanuel gare la voiture. Le silence se fige entre nous, comme de l'asphalte sous le soleil bouillant.

Il n'y a plus que cette enseigne sordide illuminée par des néons rouges, que ce mot clignotant :

CU

PI

DONNE

Je voudrais qu'Emmanuel me parle, dise n'importe quoi, des niaiseries, pour faire taire l'horreur qui s'anime en moi.

CUPIDONNE

Un bar de danseuses nues. Mandoline. À l'intérieur.

— Tu voulais savoir. À présent tu sais, me dit Emmanuel, prêt à repartir.

Qu'est-ce qu'on fait, une fois qu'on sait ? Qu'est-ce qu'on peut faire ? J'ai envie de crier, de frapper ma tête contre le pare-brise. Et cette douleur qui s'étire de tout son long dans ma poitrine ! L'arracher de moi. Arracher Mandoline à cette horreur organisée. Ma main ouvre la portière. Emmanuel retient mon bras.

— Laisse-moi !

J'ai parlé tout bas, à travers des larmes qui n'en peuvent plus d'être ravalées.

Mandoline ! Mon amie ! C'est mon amie !

— Il faut que j'essaie de la sortir de là, tu comprends ? Avant qu'il soit trop tard !

— Tu veux que j'y aille avec toi ? me demande Emmanuel, le trémolo dans la gorge.

Je lui signale que non. J'essuie mon visage.

Essayer. C'est tout ce que je peux faire. C'est la seule certitude que j'ai.

Je descends de la voiture. Emmanuel m'interpelle :

— Es-tu sûre que c'est une bonne idée ?

— Non ! Mais si je n'y vais pas, je resterai avec mon doute.

Mes pas. Le bruit de mes pas sur l'asphalte. Jusqu'à cette porte. Cette maudite porte à ouvrir.

CHAPITRE 15

— Fous le camp! Sinon je t'arrache les yeux! Et t'avise pas d'ouvrir ta grande trappe, parce que c'est la langue que je t'arrache! me lance Mandoline.

Elle cache ses seins avec ses mains.

Ses paroles m'assomment. Je ne tiens plus sur mes jambes. Je dois m'appuyer, n'importe où, syntaxe! Ma main agrippe le dossier d'une chaise. Je voudrais disparaître dans la fumée qui empeste cet endroit puant, infect et maudit. Ne pas voir ce que je vois : ces filles nues offertes aux regards de vieux cochons ivres. Elles se tortillent devant eux. Pour leur plaisir.

— Fous-la dehors, Rony! crie-t-elle, enragée, au portier.

L'armoire à glace accourt :

— T'as compris ce qu'a dit Lilas? Dehors! À moins que tu veuilles nous montrer ta jolie viande ! me dit le gros porc avarié, en osant toucher ma nuque.

J'ai vraiment envie de cracher sur son visage pourri, rouge et boursouflé. Je crie :

— Touche-moi pas, sale doberman !

Le chien galeux m'attrape par le chignon du cou. Que je le veuille ou non, il va me jeter dehors ! Je cherche désespérément Mandoline dans les yeux de Lilas. Elle détourne la tête.

Près de la porte, je croise l'homme à la Porsche rouge. Je sais que c'est lui. Son regard me dévaste. J'ai la chair de poule.

— Viens, on rentre ! me dit Emmanuel venu m'attendre à la sortie.

Son bras entoure mes épaules.

Dans la voiture, je suis muette, défaite. Emmanuel pose sa main sur mon bras avant de démarrer la Golf.

J'ai honte d'avoir vu ce que j'ai vu. Honte de ressentir ce que je ressens : un mélange d'excitation, de grande tristesse et de dégoût.

Comment empêcher ces images de me poursuivre : derrière le paravent, les yeux démesurément brillants, les seins nus, Mandoline s'apprête à retirer son cache-sexe devant un type qui pourrait être son père !

Je me sens impuissante ! Inutile ! Sale !
La tête, le cœur, les yeux me font mal,
mal, mal !

CHAPITRE 16

— Non, non et non ! Qu'est-ce qui se passe avec toi, Sara ? s'exclame Lena en déposant sèchement son texte sur le siège. Tu n'y es pas du tout ! Où est Juliette, hein ? Ça fait deux répétitions qu'elle file en douce. Ça suffit ! Nous n'avons plus une seconde à perdre ! Tu joues Juliette ou tu vas rêvasser chez toi, branche-toi !

Mandoline n'a pas remis les pieds à Colette. Je ne peux pas m'empêcher de penser que c'est ma faute.

— Sois un peu indulgente, Lena, Sara a eu un gros pépin dernièrement.

— Merci pour le conseil, Emmanuel, mais tu me laisses travailler, d'accord ? On peut rester bien au chaud et se lamenter contre l'hiver ou s'habiller chaudement et sortir faire des bonhommes de neige ! *Capitch*? Faire AVEC ! Ça ne veut pas dire ravaler ! Vous en arrachez ? Servez-vous-en pour créer ! N'oubliez jamais la règle d'or : *the show must go on* ! Le public n'attend pas, lui !

Lena s'approche de moi. Son regard s'adoucit. Sa voix aussi :

— Ça ne va pas ?

Je lui fais signe que non. Elle frotte mon dos. On dirait que le mouvement de sa main vient chercher ma tristesse.

La nuit dernière, un rêve m'a encore laissé un goût étrange. La terre était mauve. Ma mère et Mandoline riaient aux éclats en courant devant moi. Je ne pouvais pas les suivre, mes pieds calaient dans le sol. Soudain, maman s'est retournée en me disant : « Deux fois ! Tu passeras deux fois par ce sentier avant de retrouver la route. » Puis elle a disparu. Mandoline a cessé de rire et s'est mise à m'injurier.

J'ai le cœur au bord des larmes. Lena masse ma nuque et demande à Maxence Lemoine de se tenir prêt pour l'acte IV, scène I, réplique 26.

— Laisse sortir ta peine, Sara ! Et donne-la à Juliette. On a banni celui que tu as épousé en cachette et que tu aimes plus que tout au monde ! On veut te forcer à en épouser un autre. Ça te rend malade rien que d'y penser ! Pour l'instant tu es coincée et tu souffres à vouloir en crever ! Vas-y, Juliette !

Lena donne le signal à Maxence.

— *Ah ! Juliette, je connais déjà ton chagrin, et il m'angoisse bien au-delà de mon entendement. Je sais que jeudi prochain, sans délai possible, tu dois être mariée au comte,* me dit Frère Laurent.

— *Ne me dis pas que tu sais cela, frère, sans me dire aussi comment je puis l'empêcher. Si dans ta sagesse tu ne trouves pas de remède, déclare seulement que ma résolution est sage, et sur-le-champ je remédie à tout avec ce couteau,* lui dis-je en feignant de lui montrer le poignard.

— C'est bon ! Mais ça sera encore mieux, dit Lena. Allez, on reprend !

CHAPITRE 17

Liette nous avait invitées pour célébrer le réveillon. Maman ne s'est pas levée quand son réveil a sonné à vingt-trois heures. Je l'ai laissée dormir. Je n'ai pas voulu la réveiller non plus quand papa a téléphoné à minuit et a demandé à lui parler.

— Tu sais, elle n'est vraiment pas en forme, ces temps-ci, lui ai-je dit.

— Bon... Mais n'oublie pas de lui transmettre mes meilleurs vœux !

Ensuite, il a ajouté :

— Sara, je pense beaucoup à toi, tu me manques et j'ai très hâte que tu viennes me voir.

Il n'a pas cherché à savoir si j'en avais l'intention ni quand ni rien. En raccrochant, j'ai pleuré.

Liette a envoyé par Frédéric deux parts de bûche de Noël, une tourtière, un grand paquet plat emballé dans du papier rouge et vert, avec une petite carte : *Pour Sara, de la famille Viens*.

Je déballe mon cadeau : l'affiche laminée du film *Romeo e Giuletta* de Franco Zeffirelli. L'attention de Liette me touche.

Willie joue au soccer avec le chou en ruban. En cette nuit de Noël, je ne me suis jamais sentie aussi seule. Ou plutôt si, mais chaque fois c'est comme la première fois.

CHAPITRE 18

On lui a fait passer une scanographie.

Assise sur le bout d'une chaise, les coudes sur la table, son menton appuyé sur ses mains, maman ne dit rien.

Je souhaite que son silence perdure.

Nous sommes à table, ma mère et moi. Malgré les traits de son visage adulte, on dirait une petite fille épuisée. Je lui ai préparé son petit déjeuner.

Maman prend son assiette. Je pose aussitôt une main sur son bras, très doucement, pour l'empêcher de se lever. Je lui fais remarquer qu'elle n'a rien avalé. Je mets ma main sur sa tête. Lui caresse les cheveux. J'ai une impression de déjà-vu. Un frisson me traverse.

Ce rêve que j'ai fait il y a quelques mois me revient en mémoire.

Je voudrais être ailleurs. Je connais bien cette sensation : ne pas vouloir entendre ce que je sais déjà. Quand j'ai écrit mon dernier texte de création dans le cours de français, mon esprit était au courant du secret de Mandoline et de l'homme à la Porsche rouge. Qu'avais-je appris alors, dans ce rêve de bouillie violette et de ligne pointillée noire, à propos de ma mère ?

Sa main serre mon poignet. Je souhaite que son silence dure encore un peu. Laisse-moi encore du temps, maman. Encore un peu de temps.

— Et la pièce, ça avance ? me demande-t-elle.

— Oui. Nous aurons les costumes à la prochaine répétition.

Les mots, du baume sur une plaie qui n'est pas encore nommée. Laisse-moi encore un peu de temps, maman.

Elle a maigri. Elle a perdu son entrain de femme d'affaires passionnée.

Elle a revu le spécialiste. J'ai très peur tout à coup. Elle dit qu'on va peut-être l'opérer.

Ligne pointillée noire. Les mots ne sont plus du baume. La plaie est nommée : « tumeur. »

Ligne. Pointillée. Noire. Ma mère a une tumeur au cerveau. Chienne de mort ! Tu m'as déjà pris mon amour ! Tu ne m'arracheras pas ma mère ! Je ne te laisserai pas faire !

Maman s'efforce de sourire mais son regard la trahit.

— Ne t'inquiète pas, maman, je suis là.

D'où me vient ce calme soudain ?

CHAPITRE 19

Les graffiti dansent sous mes yeux. Je ne sais plus depuis combien de temps.

LOULOU LOVE LULU

LA VIE C'EST DE LA MARDE

À QUOI ÇA SERT DE SE BATTRE CONTRE ELLE ?

T'AS JUSTE À LA FLUSHER ! T'ES À LA BONNE PLACE.

Je détache les cordons de mon sac à dos, sors mon coffret à crayons, l'ouvre et prends un feutre. J'ajoute sur la cloison grise à la peinture écaillée :

CHIENNE DE MORT ! ! !

Assise sur le siège des toilettes, je pleure un bon coup, en me mouchant avec du papier hygiénique. Je tire la chasse.

Je m'asperge le visage d'eau glacée.

Je vais à ma répétition.

CHAPITRE 20

— *Tybalt n'est plus, et Roméo est banni!
Roméo, qui l'a tué, est banni*, me dit Nourrice, effondrée, en lançant l'échelle de corde derrière moi.

Ce n'est pas vrai! La main douce de mon amour ne peut pas avoir versé le sang de mon cousin!

— *Oui, oui, hélas, oui!* me répète Nourrice.

La terre s'ouvre sous mes pieds et je glisse.

Juliette Capulet n'existe plus. Je porte à présent le nom ennemi de ma famille: Montague.

Que la malédiction m'emporte avec elle, je ne dirai pas de mal de celui que j'aime! Tybalt a voulu tuer mon mari. Roméo n'a fait que sauver sa peau. Il est vivant. Mais banni.

Banni, ce mot me tue !

Je regarde l'échelle, gisante à mes pieds comme un cadavre souriant :

— *Pauvre échelle, te voilà déçue comme moi, car Roméo est exilé : il avait fait de toi un chemin jusqu'à mon lit ; mais, restée vierge, il faut que je meure dans un virginal veuvage.*

Ce n'est pas Roméo qui prendra ma virginité mais un tombeau !

— *Courez à votre chambre ; je vais trouver Roméo pour qu'il vous console… je sais bien où il est…*

Nourrice me secoue en élevant la voix :

— *Entendez-vous, votre Roméo sera ici cette nuit !*

Roméo ? Ici ? Ah oui ! Qu'il vienne ! Et vite !

J'enlève ma bague et la donne à Nourrice :

— *Remets cet anneau à mon fidèle chevalier et dis-lui de venir me faire ses derniers adieux.*

— Très bien, les filles ! Juste un petit détail ; Nénette, assure-toi de jeter l'échelle aux pieds de Juliette. Tout à l'heure, le public ne pouvait pas la voir ! Toi, Sara, quand tu dis que Roméo en avait fait un chemin jusqu'à ton lit, prends l'échelle, ferme les yeux, et caresse-la comme si tu caressais ton amant. D'accord? Bon, terminé pour aujourd'hui, vous avez tous mérité une bonne nuit de sommeil! dit Lena.

— Pas avant un bon hot dog! Et une montagne de frites! lance Nénette. J'ai un gros petit creux et je vais le combler chez Valentino! Qui m'aime me suive!... Y a juste Greta qui m'aime?

— Mais non, on est deux! dit Emmanuel en l'embrassant sur la joue.

Maxence chantonne une marche nuptiale archiconnue.

— Juliette, ma fille, fais attention! Roméo fait les yeux doux à ta nourrice! s'exclame Dominique Marny alias Monsieur Capulet.

Les rires fusent. Je ramasse mes affaires en me rappelant que ce soir, je ne rentre pas chez moi mais chez Liette, notre voisine, la meilleure amie de maman, la mère de Serge.

— Ça va, toi? me demande Emmanuel.

— Quand je quitte la peau de Juliette... disons que c'est plus difficile.

— Il y a du nouveau pour ta mère?

— Elle a été hospitalisée ce matin.

— Ah ! Merde ! me dit-il.

— Vous venez ou pas ? s'impatiente Nénette.

— Il y a vraiment juste ton gros ventre qui compte, hein ? s'exclame Emmanuel, exaspéré.

Sa réplique nous stupéfie et crée un malaise général dans l'assistance. Il s'excuse immédiatement à Nénette. Elle répond qu'elle a une couche de protection assez épaisse pour ne pas être atteinte. Puis elle ajoute :

— Sais-tu, Emmanuel, je commençais vraiment à penser que tu étais parfait. Je suis contente de m'apercevoir que ce n'est pas le cas !

Je les laisse régler leurs affaires.

À partir de ce soir, maman dormira à l'hôpital, mon chat, chez Marie-Loup, et moi, dans la chambre de Serge.

CHAPITRE 21

— Frédéric te prête sa chambre. J'ai pensé que...

J'interromps Liette aussitôt :

— Je te remercie de l'attention, mais je préférerais dormir dans le lit de Serge. Si tu n'y vois pas d'objection.

— C'est comme tu veux, Sara, me répond-elle.

Je prends mon sac à dos et ma valise. Liette me précède jusqu'à la porte. Elle s'apprête à l'ouvrir. Je la devance et l'entrouvre légèrement.

— Je te laisse t'installer. Fais comme chez toi, ajoute-t-elle, douce et accueillante, comme toujours.

Elle m'embrasse sur les joues et se retire.

Je n'ai encore jamais mis les pieds dans sa chambre. Je pousse la porte et reste dans l'embrasure. Mon regard fait le tour de la pièce et se pose à distance : sur son lit, sa table de chevet, les murs tapissés de ses dessins.

J'entre et vais au devant de *La Lumière blanche*, l'aquarelle qui lui avait valu le premier prix au concours « La soif de vivre ». En ce temps-là, comment aurais-je pu me douter que ce tableau était prémonitoire ? J'étais dans la chambre d'à côté, à faire des maths avec Frédéric, alors que Serge appliquait ses couleurs, ici même.

Ma main glisse le long du cadre, effleure la vitre. Ce jeune couple lumineux, c'était nous. Nous qui aurions rendez-vous, dans une autre dimension, au bord de la lumière blanche.

Je tourne le dos au tableau pour échapper à la bouffée de tristesse qui cherche à m'envahir.

Le mur d'en face est couvert de renards.

Je m'avance tranquillement et découvre avec beaucoup d'émotions que ce sont SES derniers dessins.

RENARDEAUX JOUANT
RENARD MONTRANT LES DENTS

LE RENARD ET L'AMANTE I
LE RENARD ET L'AMANTE II

Je frissonne à regarder *Le renard et l'a-
mante I* et *II*.

I : Une fille de dos flatte un renard trois
fois plus gros qu'elle. La bête sourit.

II : Le renard de dos a posé une patte
dans la main de la fille. Trois fois plus
grande que l'animal, la fille sourit.

Cette fille, c'est moi !

Je m'approche du lit, me déshabille
devant la photo de Serge, posée sur la
table de chevet, et me glisse nue sous les
draps.

Je prends la photo et dis à voix basse :
« Bonne nuit, Serge... et merci. » Je n'ai
pas besoin de lui expliquer pourquoi. Il le
sait.

CHAPITRE 22

Ce matin, j'ai encore fait un rêve troublant. Nous marchions, ma mère et moi, sur une route de campagne. Encore une fois, la terre était mauve. Maman insistait pour que je l'accompagne jusqu'à ce sentier dont je lui avais tant parlé. Je ne comprenais pas pourquoi elle disait que je connaissais cet endroit.

Lorsque j'ai ouvert les yeux, mon regard s'est fixé machinalement sur *La Lumière blanche* de Serge.

▲   ▲   ▲

Chambre 410. Je pousse la porte. Maman dort. Je rentre sur la pointe des pieds, dépose mon sac à dos, m'assois sur la chaise à côté du lit.

Je la regarde dormir. Elle est si menue dans son uniforme de malade : une chemise bleu ciel, ouverte dans le dos.

Je voudrais la toucher, mais je n'ose pas. Ma main se pose sur l'oreiller, tout près de sa tête.

— Marie-Louise, tu es là ? dit-elle en se retournant.

Je suis surprise que ma mère parle de Marie-Loup.

— Non, c'est moi, lui dis-je.

— Bonjour, ma grande. Je ne t'avais pas entendue arriver. Marie-Louise est partie ?

— Elle est venue te voir ?

— Oui. Ma sœur est fantastique, tu sais ! me déclare-t-elle, les yeux brillants.

Je suis tellement contente d'apprendre que le traité de paix est signé.

Maman est si pâle. J'essaie de lui sourire, mais c'est difficile. Cela me prend tout mon petit change pour avaler : ma salive, mes larmes, ma tristesse, ma peur. Je fais un effort.

Sa main prend la mienne et la presse légèrement.

— Sara, tu connais le sentier que je dois traverser, n'est-ce pas ?

Ma boule d'émotions reste coincée dans ma gorge.

Pourquoi je ne réponds pas ce que lui disent les autres, Liette, ses copines, ses collègues, les infirmières : « Voyons donc, Solange, d'ici peu de temps, tu vas danser la lambada ! Dans le temps de le dire, tu vas être en train de brasser des grosses affaires ! Sacrée Solange ! Pas capable d'aller au Club Med comme tout le monde ! »

Je m'entends lui dire :

— Oui, maman. Ne t'inquiète pas, il est très beau.

— Tu sais que j'ai rêvé à toi, la nuit dernière, murmure-t-elle. Nous faisions un bout de chemin ensemble. Jusqu'au sentier. Devant, tout était blanc.

Tout était blanc...

Je suis décontenancée. Nous avons fait le même rêve. Je n'ose pas le lui avouer.

Lumière blanche...

Une entente, entre elle et moi. Nos yeux se parlent. Disent tout. Scellent notre pacte.

— Toc, toc, toc ! Je ne vous dérange pas, j'espère ? demande Marie-Loup en entrant.

Une étincelle passe dans les yeux de maman :

— Je croyais que tu étais partie ! répond-elle, visiblement contente de revoir sa sœur.

— Tu me ronflais au nez, alors je suis descendue boire une tisane, dit Marie-Loup. Bonjour, filleule d'amour ! Comment va ma Juliette préférée ? ajoute-t-elle en m'embrassant.

Entre l'hôpital, les cours et les répétitions, je n'ai presque pas de temps pour penser. Tout va si vite ; comme si ma vie déboulait dans un escalier. Un escalier en spirale. Qu'est-ce que je ferais si je n'avais pas Juliette pour éponger un peu ma peine ?

— Juliette ? Elle travaille fort et elle m'aide beaucoup, dis-je à ma marraine.

Marie-Loup s'assoit sur le lit et demande à sa petite sœur :

— Solange, mon ange, qu'est-ce qui te ferait plaisir ?

— Reste encore un peu, Loulou, et relis-moi le passage de la rencontre entre le renard et le Petit Prince.

Marie-Loup essuie discrètement ses yeux en allant chercher le livre sur le bord de la fenêtre.

C'est bon d'assister à leurs retrouvailles. C'est tout doux. Doux-doux-doux.
— *Je ne puis pas jouer avec toi, dit le
renard. Je ne suis pas apprivoisé...*

CHAPITRE 23

Vraiment désolé, mon père m'annonce qu'il ne pourra pas venir voir la pièce. Un colloque de dernière minute l'oblige à partir pour le Colorado le jour de la représentation. Il a remué ciel et terre pour trouver un remplaçant (mon œil !), mais ça n'a pas marché.

Il est navré ! Sincèrement ! Il sera de tout cœur avec moi (mon autre œil !). Et me dit le mot de Cambronne : merde !

Merde ! Merde ! Et re-merde ! Syntaxe !

▲ ▲ ▲

J'ai encore téléphoné à Mandoline. Je lui laisse des messages sur le répondeur. Elle ne me rappelle pas.

La vie est un cadeau ? La peur, une porte fermée ? Connerie !

Tu m'as menti, Marie-Loup ! Il y a un cadenas sur la serrure ! Et je n'ai pas la clef pour l'ouvrir !

CHAPITRE 24

— Sara! Je te cherchais! me dit Emmanuel en courant derrière moi.

Je me retourne.

— On va à la même place, à ce que je sache! lui dis-je comme nous arrivons devant l'auditorium.

— Je voulais te parler en privé, ajoute-t-il.

— Salut, Sara! Salut, Emmanuel! nous dit Nénette.

— Roméo et Juliette sont aussi touchants dans un corridor de polyvalente que sur une scène, tu ne trouves pas, Nénette? s'exclame Maxence avant d'entrer.

Je ne peux pas m'empêcher de répliquer:

— Pauvre con!

Emmanuel m'entraîne un peu à l'écart, près de l'escalier :

— Sara, c'est à mon tour de te demander un grand service.

Le ton grave de sa voix m'intrigue.

— Et qu'est-ce que je peux faire pour me rendre utile ?

Emmanuel chasse le chat de sa gorge.

— Veux-tu m'accompagner à mon bal de graduation ?

Je réponds :

— Pourquoi pas ! Entre amis, il faut bien s'entraider !

Les yeux écarquillés, Emmanuel reste pantois.

Il se tape sur la cuisse, m'ébouriffe les cheveux en répétant : « Tu es fine ! Tu es super fine ! » et sautille jusqu'à la porte.

Lena regarde sa montre. Tout le monde est déjà en place.

▲　▲　▲

Ce jeune inconnu n'est pas celui que la vie me destinait. Je devrais le fuir et je le laisse prendre ma main. Je me sens si belle dans ses yeux. Moi, Juliette Capulet.

— *Les saintes n'ont-elles pas des lèvres, et les pèlerins aussi ?* me demande-t-il.

Il me bouleverse.

— *Oui, pèlerin, des lèvres vouées à la prière*, lui dis-je.

Mais qui est-il ? Sous son regard lumineux, ma pudeur fond, comme la cire au contact de la flamme.

— *Oh ! alors, chère sainte, que les lèvres fassent ce que font les mains. Elles te prient ; exauce-les, de peur que leur foi ne se change en désespoir*, ajoute-t-il en se rapprochant de moi.

Je ne sais pas pourquoi tu te trouves sur mon chemin. Je ne veux plus me torturer l'esprit à vouloir comprendre. Peux-tu lire mes pensées sans que je te les dise ? J'ai envie que tu me prennes dans tes bras ! J'ai envie que tu m'embrasses.

— *Les saintes restent immobiles, tout en exauçant les prières*, lui dis-je en plongeant mon regard dans le sien si bleu.

Je n'ai plus d'histoire, plus de nom. Je ne te connais pas, je te reconnais.

— *Reste donc immobile, tandis que je recueillerai l'effet de ma prière*, murmure-t-il.

Je ne bouge plus. Son visage se penche sur le mien. Lentement. Très lentement.

Ah ! Oui. Oui. Oui ! Que son visage se penche sur le mien ! Que ses lèvres frappent à la porte de ma bouche ! Je lui ouvre mes lèvres. Je lui donne ma langue. Embrasse-moi, mon amour. Embrasse-moi encore !

Je n'entends plus ce qu'il me dit ! Je ne sais plus ce que je lui réponds.

— *Madame, votre mère voudrait vous dire un mot !*

Nourrice, fous-moi la paix !

— Coupé ! dit Lena en toussotant. Trop, c'est comme pas assez ! Non, non ! Je blague, vous étiez très crédibles ! ajoute-t-elle.

Que s'est-il passé ?

— En tout cas, le public va en avoir pour son argent ! lance Maxence.

Gênée, j'essuie mes lèvres et mes joues encore mouillées de salive.

Mais qu'est-ce qui m'a pris ? Je l'ai embrassé. Pour vrai. Avec ma langue.

— Excusez-moi, je reviens, dit Emmanuel, l'air aussi troublé que moi.

Il évite mon regard.

Je suis sens dessus dessous. Qui a embrassé qui ? Juliette, Roméo ? Ou Sara, Emmanuel ? Qui a vibré ? Juliette... ou moi ?

J'entends claquer la porte de l'auditorium.

CHAPITRE 25

J'ai rendez-vous avec Serge. Il m'attend.

Je l'aperçois, appuyé sur un immense mur de pierres, les mains dans les poches. Je m'élance à sa rencontre. Je cours vite, très vite.

Je trébuche sur une roche mais évite la chute de justesse. Les bras de Serge m'attrapent et m'enveloppent. Je colle ma tête contre sa poitrine. Son cœur bat très fort. Je frémis. Je sais qu'il va m'embrasser. Je savoure chaque seconde d'attente. Il soulève mon menton et caresse mon cou du bout des doigts. La caresse brûle en moi. J'ai terriblement chaud. Terriblement envie de lui. Terriblement.

Ses lèvres agacent les miennes, s'entrouvrent, se referment, mordillent. J'ai du mal à respirer. Je soupire. Je languis de désir. Un désir fou, torride, avide.

Sa langue effleure les commissures de mes lèvres, se pose entre mes dents. Elle n'en peut plus, ma langue. Elle surgit comme une tigresse affamée puis s'offre, généreuse.

J'ai chaud. Tellement chaud.

— Je t'aime, Sara.

Les yeux de Serge ne sont pas vert pomme mais bleu clair. Affolée, je m'enfuis en pressant mes paumes contre mes oreilles. Je hurle : « Va-t'en ! » mais le cri meurt dans ma gorge.

Je n'étais pas dans les bras de Serge ! Ce n'était pas Serge que j'embrassais ! Ce n'était pas Serge qui me caressait mais Emmanuel !

L'éclat du verre m'arrache brusquement au sommeil.

J'ouvre les yeux. Une main entre mes cuisses humides. Je suis excitée. Au bord de l'orgasme.

Je stoppe mes caresses et sors du lit en vitesse, honteuse.

Je me fige sur place. J'allais poser le pied sur un morceau de vitre. À l'envers, sur les lattes de bois, l'aquarelle *La Lumière blanche* gît parmi les éclats du verre qui la protégeait.

J'appuie le cadre contre le mur, ramasse la vitre brisée.

Je m'habille à la hâte et quitte la maison des Viens, le cœur serré et l'esprit en fouillis.

CHAPITRE 26

Sara Lemieux, prends ton courage à deux mains ! Prends le taureau par les cornes !

— Emmanuel... je...

— Oui ?

Le courage est un taureau, je le prends par les cornes !

— ... je voulais m'excuser pour hier.

— T'excuser ? Mais pourquoi ?

Il se fout de ma gueule ou quoi ?

— T'excuser pourquoi ? insiste-t-il.

Difficile. Difficile de nommer certaines choses par leur nom.

— Parce que... parce que je t'ai carrément sauté dessus... je... je ne sais pas ce qui m'a pris. Tu sais, je suis pas mal perturbée ces temps-ci avec tout ce qui m'arrive.

— S'il te plaît, Sara, regarde-moi quand tu me parles, me dit-il en soulevant mon menton.

Impatiente, je réplique :

— Syntaxe ! On joue dans moins d'une semaine, ce n'est pas le temps de tout gâcher !

Il prend mes mains.

— Sara, tu l'as dit toi-même : avec tout ce qui t'arrive, tu es pas mal perturbée. Ta vie n'a pas besoin d'un drame de plus, alors n'en rajoute pas ! Tout ça pour dire : t'en fais pas pour moi. Un : j'ai adoré que tu m'embrasses comme ça ! Deux : je ne me fais pas d'idées ! Trois : je ne désespère pas non plus. Quatre : tu es la plus merveilleuse des Juliette ! Cinq : je suis ton meilleur ami, du moins je l'espère. Six : je pourrais continuer ma liste, mais mon autobus est arrivé.

Emmanuel me plaque un petit baiser sur la tête et monte de justesse comme les portes se referment.

CHAPITRE 27

— Les renards ne déposent pas leurs excréments le long des sentiers sans raison ; ils s'en servent pour communiquer, affirme Muguette Dubois, la prof d'écologie.

Mes affaires sont déjà rangées et, pour la millième fois, je regarde l'horloge en maudissant l'heure qui n'avance pas assez vite à mon goût.

— Ils communiquent aussi vocalement en glapissant, ajoute-t-elle.

La voix traînante du prof d'écologie ne me tape pas sur les nerfs, elle les flagelle ! Ce qui est beaucoup plus pénible.

Syntaxe de cloche ! Si tu ne sonnes pas, c'est moi qui vais glapir !

Mais qu'est-ce que ça va changer à ma vie de savoir que les renards peuvent aussi japper ?

— N'oubliez pas ! Examen la semaine prochaine, proclame la prof en guise de conclusion.

Je me lance sur la porte, comme une flèche tirée par une main de maître atteint sa cible.

Les après-midi où nous ne répétons pas, je ne pense qu'à une chose : aller voir ma mère.

Elle ne parle plus. Ne mange plus.

Sara,

Avant de partir, passe sans faute à l'A.E.C. Bonne nouvelle à t'annoncer.

Emmanuel

Intriguée, j'arrache la note collée sur la porte de mon casier, m'habille et fais un détour par l'Association étudiante.

▲　▲　▲

— Tu connais l'histoire de la montagne qui vient à toi si tu ne peux pas te rendre à elle ?

Je n'ai vraiment pas la tête à jouer aux devinettes.

— Emmanuel, de quoi tu parles ?

— Il y aura une équipe vidéo. Tout est arrangé ! me dit-il.

Je ne sais toujours pas où il veut en venir. Le ton monte :

— Syntaxe ! Emmanuel, accouche !

— Je suis en train de te dire que ta mère pourra voir *Roméo et Juliette*, de William Shakespeare, mettant en vedette sa fille Sara Lemieux !... à l'hôpital !

C'est lui qui en a eu l'idée. Il a tout organisé. On filmera la représentation, pour maman. Très émue, je me radoucis :

— C'est vraiment chouette de ta part, Emmanuel !

Je l'embrasse sur la joue :

— Merci !

— Et l'autre ? me dit-il.

— Quoi, l'autre ?

— L'autre joue ! Elle est ultra jalouse ! répond-il en me tendant la gauche.

Je souris en l'embrassant. Emmanuel est vraiment le meilleur copain qu'on puisse avoir.

CHAPITRE 28

— Sara, arrête de cligner des yeux, sinon je vais t'en mettre plein la figure ! me dit Jasmine, notre patiente et dévouée habilleuse-maquilleuse-coiffeuse.

Je déteste le mascara. Je ne tiens plus en place. J'ai la chienne, une grosse chienne à poils longs ! Et elle grogne en montrant ses crocs.

— Apprivoise-la !

— Qu'est-ce que tu dis ? me demande-t-elle.

— Non, non, je me parle toute seule.

Jasmine s'énerve :

— Mais vas-tu arrêter de bouger !

— Attends, je dois retourner aux toilettes ! lui dis-je en tentant de me lever.

— Pas question ! Tu m'as déjà fait le coup deux fois ! C'est juste des pipis nerveux. Ferme les yeux, j'achève ! réplique-t-elle sévèrement.

La vie est un cadeau, la peur, une porte fermée. Si tu n'ouvres pas la porte, tu ne peux pas savoir que le cadeau est dans la pièce d'à côté. La vie est un cadeau, la peur, une porte fermée... Ouvrir la porte.... Ouvrir... Cadeau.

— Cadeau !

— Quoi encore ? demande Jasmine.

— J'ai dit : cadeau ! cadeau ! cadeau !

Les yeux ronds, Jasmine hausse les épaules en déposant le fard à joues et le pinceau :

— Excuse-moi, Juliette, mais j'y comprends rien !

Je réponds :

— Ce n'est vraiment pas grave !

— Mais fais attention, Nénette ! Tu es assise sur ma perruque ! crie Greta.

— Oh ! Pardon !

— Roméo ! C'est à ton tour ! dit Jasmine. Quelqu'un a vu Emmanuel ?

À moins d'une heure d'entrer en scène, nous sommes tous sur le gros nerf.

— Du calme ! s'écrie Lena.

Plus facile à dire qu'à obtenir !

▲ ▲ ▲

Maman, ce soir je jouerai pour toi. Maman, je t'aime ! Maman, tu me manques ! M'entends-tu, maman ?

LA POLYVALENTE
COLETTE

Présente

Roméo
&
Juliette

DE
WILLIAM SHAKESPEARE

MISE EN SCÈNE
LENA CORDEAU

OMÉO

TIRÉ DU ROMAN LA DEUXIÈME VIE
SUITE DE LA LUMIÈRE BLANCHE
QUÉBEC/AMÉRIQUE JEUNESSE

LE MOT DE LA METTEURE EN SCÈNE

William Shakespeare (1564-1616), comédien, poète et dramaturge anglais, nous a légué une œuvre monumentale : *Hamlet, Othello, Macbeth, Le Roi Lear, Antoine et Cléopâtre, La Mégère apprivoisée, Le Songe d'une nuit d'été...*

Roméo et Juliette, ce sont d'abord les personnages d'un conte italien de Luigi Da Porto. En 1554, Matteo Bandello reprend le thème dans une nouvelle qui inspire à Shakespeare, en 1594, la pièce qui immortalisera les jeunes amants. Cette passion tragique entre deux adolescents aux prises avec l'incompréhension de leur milieu reste d'une éternelle fraîcheur.

À l'aube de l'an 2000, il faut voir avec quelle ardeur des adolescent(e)s d'aujourd'hui, étudiant(e)s de cette école, font revivre sous nos yeux cette magnifique histoire d'amour créée il y a quatre siècles.

Que le rideau se lève !

Lena Cordeau

EN SCÈNE

EMMANUEL LEDOUX : *Roméo*
SARA LEMIEUX : *Juliette*

FLORENCE COBURN : *Le chœur, Lady Montague, un valet, un garde*
PASCALE DI MAGGIO : *Balthazar, un page, un vieillard*
NÉNETTE DUMOUCHEL : *Nourrice*
GRETA LABELLE : *Lady Capulet*
PIERRE LARUE : *Escalus, Prince de Vérone, Frère Jean*
BRUNO LEFRANÇOIS : *Montague*
MAXENCE LEMOINE-DUMOULIN : *Frère Laurent, un citoyen*
DOMINIQUE MARNY : *Capulet*
MONICA MARTINES : *Benvolio, premier garde*
LOUIS MARTEL : *Paris, un citoyen*
OLIVIER PARENT : *Tybalt, l'Apothicaire, un valet*
DELPHINE SOULIÈRE : *un musicien, un citoyen, guetteur de nuit*
MARY O'CONNOR-TESSIER : *Mercutio, un garde*

EN COULISSE

LENA CORDEAU: Mise en scène

LULA CHUNG : *décors*
STÉPHANE PLANTE : *assistant aux décors*
ZOÉ LAROUCHE : *costumes*
JASMINE VILIAPANDO : *maquillages, coiffures*
KATHERINE VILLE-DIEU : *éclairages*
JEAN-MICHEL SIGOUIN : *ambiance sonore*
MARIE-SOLEIL ROY : *publicité et programme*
LISON LECLERC : *réalisatrice vidéo*
XAVIER LABELLE : *réalisateur adjoint vidéo*

MERCI À LA BOUTIQUE *L'ACCOUTREMENT*
POUR LE PRÊT DES COSTUMES ET DES ACCESSOIRES,
AINSI QU'À LA DIRECTION DE LA POLYVALENTE COLETTE
D'AVOIR RENDU POSSIBLE LA RÉALISATION DE CE SPECTACLE.

CHAPITRE 29

Une nuit pour vivre dans les bras de mon amour. Une seule nuit pour tout donner, pour tout prendre.

Le rossignol a chanté. Le jour n'est pas proche !

— *C'était l'alouette, la messagère du matin*, me dit Roméo, *et non le rossignol. Regarde, amour, ces lueurs jalouses qui dentellent le bord des nuages.*

Comment empêcher le jour d'entrer pour qu'il ne chasse pas mon amour ?

— *Je dois partir et vivre, ou rester et mourir*, ajoute-t-il.

Tais-toi, mon amour ! Tais-toi !

Je pose un doigt sur ses lèvres et ses dents le mordillent.

Je me pends à son cou. Je m'agrippe. Je supplie :

— *Reste donc, tu n'as pas besoin de partir encore !*

Je me tais. Mon regard l'implore de ne pas m'abandonner. Je ne m'en remettrais pas.

Caresse mon visage, mon amour !

Ma tête entre tes mains, comme si on déposait la terre sur deux piliers parce qu'elle ne tourne plus, ni sur elle-même ni autour du soleil.

J'ai si peur, Roméo ! Tellement peur ! Parle-moi !

— *J'ai plus le désir de rester que la volonté de partir…* me dit-il, le regard bleu triste.

Dis-le encore, cher amant !

L'alouette !

Roméo a raison, c'est l'alouette qui chante aussi faux ! Mon amour, je ne veux pas que tu t'en ailles ! Mais je ne veux pas que tu meures !

— *C'est le jour, c'est le jour ! Fuis vite, va-t'en, pars !… Oh ! maintenant pars. Le jour est de plus en plus clair,* lui dis-je, paniquée.

— *De plus en plus clair ?… De plus en plus sombre est notre malheur,* me dit Roméo en essuyant la larme qui glisse doucement sur ma joue.

Il quitte le lit conjugal.

Nourrice, oiseau de malheur! Qu'est-ce qu'elle vient faire dans notre nuit de noces?

— *Madame, votre mère va venir dans votre chambre. Le jour paraît; soyez prudente, faites attention,* chuchote-t-elle avant de repartir comme elle est venue, sur la pointe des pieds.

J'ai trop mal, je crie:

— *Allons, fenêtre, laisse entrer le jour et sortir ma vie!*

— *Adieu… adieu! Un baiser, et je descends,* me dit l'homme que j'aime en se rhabillant en vitesse.

Un baiser d'adieu et mon amour s'en va.

Je me penche sur le balcon. Mon regard fixe le sol. Je voudrais me laisser tomber tellement j'ai mal!

▲　▲　▲

Emmanuel fait les cent pas en silence. Greta médite dans son coin. Nénette gruge ses ongles avec acharnement et sirote un Coke tiède et dégazéifié.

— C'est bon, mes amours! Au-delà de mes espérances! s'exclame notre metteure en scène enthousiaste.

— Lena, il ne faut jamais vendre la peau de l'ours avant de l'avoir tué! Les amoureux devront faire leurs preuves dans leurs rôles de cadavres avant de crier victoire! s'exclame Maxence avant de pouffer de rire.

— S'il te plaît, Frère Laurent, baisse le volume! Ton humour tranchant massacre ma concentration! dit Greta, énervée.

Maxence lui fait la gueule et se joint aux gardes et aux valets qui se délectent des blagues cochonnes du Prince de Vérone.

— Qui veut un coup d'eau? demande Jasmine en déposant verres et bouteilles parmi le maquillage et le démaquillant.

Lison Leclerc, la réalisatrice du vidéo, et Xavier Labelle, son assistant et le frère de Greta, nous rejoignent en coulisse.

— Hé! la gang! J'ai un aveu à vous faire : je ne suis pas déçu d'avoir accepté le contrat! dit Xavier.

— Dis donc la vraie vérité! l'interrompt Lison après lui avoir donné un léger coup de coude dans les côtes.

Xavier attrape Lison par la main et l'attire à lui :

— Disons que ma blonde m'a carrément tordu le bras et je suis bien content qu'elle ait autant de poigne !

Lady Greta Capulet délaisse sa méditation avec un sourire :

— Mon cher frère, serais-tu en train de faire notre éloge, par hasard ?

— C'est à peu près ça ! répond-il.

Nous encaissons le compliment avec plaisir et trinquons à la finale. Maxence alias Frère Laurent fait mine de bénir la troupe.

Lena regarde sa montre.

— Allez, mes amours ! Le spectacle continue ! nous dit-elle.

J'ai des chenilles dans le ventre. Miracle : ce ne sont plus des papillons géants.

Emmanuel prend mon verre vide et l'emboîte dans le sien. Nos regards se croisent. Nous nous sourions sans rien dire. Nous préservons notre énergie pour aller mourir sur scène.

CHAPITRE 30

— *Ma fille, quitte ce nid de mort, de con-
tagion, de sommeil contre nature ! Un pouvoir tout-puissant a contrecarré nos plans.
Viens, viens, partons !* s'exclame Frère Laurent en me prenant le bras.

Mes yeux s'entrouvrent péniblement.
Où suis-je ? L'humidité froide et l'odeur de
pourriture me saisissent. Je frissonne. J'ai
mal au cœur.

L'effet du narcotique qui a fait croire à
ma mort s'estompe. Encore engourdie, je
m'étire et tente de m'asseoir. Le voile qui
me couvrait glisse par terre. J'échappe un
cri de terreur à la vue du spectacle morbide
qui s'offre à mon regard : des cadavres en
décomposition, des squelettes livrés aux
araignées qui ont tissé leurs toiles à même
les os.

Mon cœur ne résiste pas. Je vomis à côté de mon cercueil.

J'ai froid. J'ai peur. J'essaie de rester calme. Où est Roméo ? Nous avions rendez-vous ici. Frère Laurent l'a prévenu de la supercherie : « Juliette est vivante et elle t'attend dans le tombeau des Capulet. »

Mon amour ne devrait pas tarder.

Je me redresse.

Roméo ! Roméo est là, à quelques pas de mon cercueil. Il dort paisiblement. Je me précipite sur lui. Me colle contre sa poitrine.

— *Ton mari est là, gisant sur ton sein...* me dit Frère Laurent en me secouant.

Mais qu'est-ce qu'il raconte ? Ne voit-il pas que Roméo est venu comme prévu !

— *Allons, viens, chère Juliette... Je n'ose rester plus longtemps !* ajoute-t-il, le regard fou, avant de s'enfuir.

J'aperçois la fiole dans la main de Roméo :

— *Qu'est ceci ?*

Les mots de Frère Laurent percutent ma mémoire : « *Un pouvoir tout-puissant a contrecarré nos plans. Ton mari est là, gisant sur ton sein...* »

Mes doigts se resserrent sur le flacon. Je commence à comprendre. Roméo n'a pas eu la missive à temps !

Mon amour ne dort pas. Il est mort ! Empoisonné.

NON !

J'ouvre ma bouche, secoue la fiole au-dessus de ma langue, suce désespérément le goulot, lance cette bouteille maudite de toutes mes forces :

— *L'égoïste ! il a tout bu ! il n'a pas laissé une goutte amie pour m'aider à le rejoindre ! Je veux baiser tes lèvres : peut-être y trouverai-je un reste de poison dont le baume me fera mourir…*

Mes larmes affluent sur son visage encore tiède. Je force ses lèvres, les oblige à s'ouvrir :

— *Tes lèvres sont chaudes !*

L'écho de ma voix résonne dans le tombeau.

Je vois le couteau de Roméo, m'en empare. Sois bénie, lame tranchante et pointue !

Quelqu'un vient ! Je dois me dépêcher ! :

— *Ô heureux poignard ! voici ton fourreau !… Rouille-toi là et laisse-moi mourir !*

Rien ni personne, à présent, ne pourra nous séparer. Attends-moi, mon amour, je te rejoins !

Mon cœur en échange de nos retrouvailles.

▲ ▲ ▲

L'immense trou noir s'estompe dans les applaudissements. L'auditorium en délire est plein à craquer.

Emmanuel prend ma main et la serre fort à m'en casser les doigts. Je rentre doucement dans la peau de Sara Lemieux. Je flotte sur un gros nuage rose lorsque nous saluons.

Le trou noir a des centaines et des centaines de visages, tout à coup. Marie-Loup est assise au premier rang, à côté de Liette et de Frédéric. Debout derrière eux, Bêtéméchant bat la cadence en criant : « Bravo ! »

Au troisième rappel, je n'en peux plus ; je me mets à pleurer comme un veau tellement je suis émue, contente et fière de moi.

CHAPITRE 31

La porte est entrouverte.

Maman dort, de plus en plus longtemps, de plus en plus profondément.

Assise à côté du lit, Marie-Loup se lève et vient à ma rencontre dès qu'elle m'aperçoit. Je l'embrasse.

Nous chuchotons des mots légers, sans danger : comment ça va ? bien, et toi ? oui, ça va, et Willie ?

Mon chat adore la campagne et s'entend à merveille avec monsieur Cher, gros labrador et fidèle compagnon de Marie-Loup. Willie me manque, surtout le soir quand je me couche.

— Je vais casser la croûte et je reviens, me dit ma tante.

Je remarque les traits tirés de son visage et les petits cernes bleutés sous ses yeux.

Je ferme la porte doucement.

Sans faire de bruit, je colle le fauteuil contre le lit. Je retire *Le Petit Prince* de Marie-Loup et le dépose sur la table.

Je m'assois, le plus près possible de ma mère.

Je flatte ses cheveux, très doucement.

Mais qu'est-ce que ce triangle noir fait là ? Intriguée, je soulève délicatement le coin de l'oreiller. Ce triangle n'était qu'une pointe de l'iceberg. Une bouffée de joie très vive m'inonde. Maman dort, la vidéocassette de *Roméo et Juliette* sous son oreiller.

— Collation ? demande l'intrus qui vient d'ouvrir la porte.

Imbécile !

— Chut ! dis-je en lui signalant que nous n'avons besoin de rien.

Je suis effrayée, tout à coup, en regardant dormir ma mère. Chaque jour, je cours à son chevet. Je suis avec elle. Je suis ici pour elle. Je vis chaque petit bout de tendresse comme si c'était le dernier. Et je tiens bon, d'un bout à l'autre.

Comme des renardeaux découvrent la forêt, au sortir du terrier... les mots pesants, affolants, ceux que je ne prononce pas, ceux que j'évite de formuler même en pensée, arrivent à ma conscience : peur, maladie, tristesse, colère, mort.

Le garçon que j'aimais a été écrabouillé par une voiture. Ma meilleure amie a disparu derrière un paravent, dans un bar de danseuses nues. Mon père fait semblant de s'ennuyer de moi. Je regarde ma mère s'éteindre doucement.

The show must go on ! J'ai écouté Lena Cordeau. J'ai nourri mon personnage de Juliette, quotidiennement, à grands coups de peine. Beaucoup, beaucoup, beaucoup de peine.

Je suis fatiguée.

Je voudrais me bercer d'illusions, au moins un petit peu ! Mais je ne peux pas ; la nuit, mes rêves m'attendent et me parlent, de plus en plus clairement.

J'ai déjà désiré la mort. Je suis allée au-devant d'elle. C'est elle qui n'a pas voulu de moi. « C'est le propre de l'être humain de craindre ce qu'il ne connaît pas », disait Marie-Loup. Aujourd'hui, je ne peux plus la craindre puisque je la connais.

J'aurais pu, oui, j'aurais pu franchir la lumière blanche et rejoindre Serge.

À présent, j'ai la certitude qu'il avait raison, mon amour, lorsqu'il m'a demandé : « Sara, crois-tu vraiment avoir achevé ton parcours terrestre ? »

Non, je ne peux plus craindre ni désirer ni maudire la mort. Mais je lui en veux, syntaxe ! Je lui en veux de me voler ceux que j'aime !

La main gauche de maman se soulève légèrement. Elle ne parle plus, je ne parle pas, mais je suis certaine qu'elle m'entend. Certaine.

J'ai perdu le corps, la douceur de la voix et des caresses de Serge, mais je n'ai rien perdu de l'amour qu'il a semé en moi. Aujourd'hui c'est une fleur que je peux offrir à ma mère.

Sa main s'ouvre. Elle s'ouvre pour recevoir cette fleur. Une fleur invisible pour les yeux : l'essentiel disait...

Oui, maman, elle est pour toi.

Je perçois un soupçon de sourire sur ses lèvres pâles et immobiles.

L'index de sa main droite a bougé. Il bouge.

Avec son doigt, maman trace des mots. Sans papier ni crayon, elle m'écrit : *Merci. Je t'aime.*

Des mots magiques.

Je m'étends à côté de ma mère. Me couche dans les mots magiques.

Je me permets de pleurer dans son cou !
Et ce n'est pas du tout triste !

CHAPITRE 32

Je m'apprête à déposer mon sac à dos dans mon casier ; mon regard se heurte à la note que j'ai trouvée sur la porte ce matin.

Sara,

Si tu as deux minutes à l'heure du dîner, passe me voir à l'Association.

Bises,
Emmanuel

J'ai jonglé toute la matinée à son fichu mot.

— Sara, as-tu ton lunch ou tu bouffes à la café ? me demande Greta, qui vient d'arriver derrière moi.

— J'ai mon lunch.

— Il fait tellement beau, on pique-nique ensemble dehors ? ajoute-t-elle.

Touchée par l'invitation, j'accepte sans hésiter, mais cela ne règle pas le cas Emmanuel.

— Tu as l'air bien songeuse, me dit-elle.

À deux doigts de lui parler d'Emmanuel, je me ravise.

Syntaxe ! Je ne peux tout de même pas continuer à éviter mon seul vrai copain comme si c'était une tache ambulante !

▲ ▲ ▲

— Salut, Sara ! me dit l'un des « ex » de Mandoline.

— Allô, Francisco.

— ¡ *Hasta la proxima* ! ajoute-t-il en quittant l'A.E.C.

Emmanuel est seul dans le local. Il tourne la tête vers moi. J'entre.

— Tu manges ici ?

— C'est plus tranquille pour étudier. Assieds-toi, me dit-il en s'essuyant les mains.

Que s'est-il passé depuis la représentation de *Roméo et Juliette* ?

— Emmanuel, je n'ai pas vraiment le temps.

— Deux minutes. Deux petites minutes, OK ? insiste-t-il en me tirant une chaise.

Je m'assois.

— Je m'ennuie des répétitions, pas toi ? fait-il en repoussant son plateau.

— Oui. Ça me manque aussi, dis-je.

En répondant à la question, j'ai senti l'appât.

— Écoute, je ne veux pas t'embêter. Je voulais que tu saches... tu le sais déjà mais je voulais te le dire...

Je vois le filet.

Emmanuel poursuit :

— Ce ne sont pas vraiment des répétitions que je m'ennuie, mais des scènes où on s'embrassait.

Trop tard, je suis piégée.

— Tu n'avais pas l'air de détester ça, toi non plus ! ajoute-t-il.

Je me débats.

— C'était Juliette qui embrassait Roméo, pas moi !

Il cherche mon regard, le trouve difficilement mais le trouve. Non, Emmanuel ! NON ! NON ! NON !

— Je t'aime, Sara.

Je baisse les yeux. Je suis fourbue, complètement.

— Emmanuel... tu étais mon meilleur copain !

Il sourit.

—- Mais je le suis encore, me dit-il doucement.

Je hausse un peu le ton :

— Syntaxe, Emmanuel ! La pièce est terminée ! Décroche du personnage ! OK ?

La tension monte, comme au théâtre.

Il me prend le poignet et m'oblige à le regarder en face :

— Ce n'est pas Roméo qui t'a fait une déclaration ! Tu le sais très bien, alors sois pas méchante avec ton meilleur copain !

Sois pas méchante avec ton meilleur copain. Il a presque murmuré les dernières paroles.

La cloche sonne.

— Emmanuel, j'ai un cours avec Michel Tardif ! Tu sais comment il est...

— Je voulais juste te dire « je t'aime », c'est tout, fait-il en lâchant mon bras.

Je me lève en évitant son regard :

— Il faut que j'y aille !

Dans l'embrasure, je me retourne :

— Et moi je t'aime beaucoup !

Mon meilleur copain embrasse sa main et souffle le baiser dans ma direction.

▲ ▲ ▲

— La poésie ! Cela évoque-t-il quelque chose en vous ? lance Bêtéméchant sans même nous saluer.

Personne n'ose s'aventurer, excepté mon voisin de droite qui se met à siffler.

— Un chant d'oiseau malade, d'accord ! Les autres, ça ne vous dit rien ? Je m'en doutais ! persifle le prof.

Ce n'est pas le même homme qui est venu féliciter la troupe dans la loge, après la représentation. Il avait assisté à la pièce. Il avait été ému. Il nous l'a répété gentiment, à deux reprises. Puis il m'a glissé à l'oreille : « Sara Lemieux, le gaspillage de talent est un crime qui n'est pas, hélas, passible de prison ! N'arrête surtout pas de jouer, d'accord ? » J'ai répondu : « D'accord. »

— *Les œuvres d'art sont d'une infinie solitude ; rien n'est pire que la critique pour les aborder. Seul l'amour peut les saisir, les garder, être juste envers elles.* Extrait de *Lettres à un jeune poète*, de Rainer-Maria Rilke. En passant, je vous suggère ce petit bijou. Si vous avez du temps à perdre entre un vidéoclip et un rendez-vous galant! dit-il, cinglant, en déposant le livre à la couverture rouge usée jusqu'à la corde.

Son regard noir et glacial fait le tour de la classe :

— Et l'amour, cela vous parle-t-il davantage que la poésie ?

Le visage de Serge s'accroche à ma mémoire. Celui de ma mère glisse doucement sur celui de Serge.

Je regarde ma main se lever, déterminée.

— Oui, Sara ?

— Oui, à moi, ça me parle. L'amour, je veux dire...

— Et qu'est-ce que ça te dit ? me demande Michel Tardif, moins bête et moins méchant.

— C'est difficile de reconduire une personne qu'on aime à la frontière et de la laisser traverser, sans chercher à la retenir. Même si on souhaitait par-dessus tout qu'elle reste. Et rentrer seule chez soi, parce qu'on n'a pas encore de passeport pour franchir les lignes.

J'ai droit à un sourire Tardif, denrée rare à Colette.

Maman m'appelle. Je le sens. Je le sais.

Mes yeux roulent dans l'eau. Mon nez coule. Je fouille dans mon sac à dos : pas de Kleenex. Je me lève et me dirige vers la porte, en reniflant.

Une soixantaine de yeux me fixent. Je m'en fous. Je renifle, dans la classe, dans le corridor, aux toilettes.

▲ ▲ ▲

LOULOU LOVE LULU
LA VIE C'EST DE LA MARDE
L'AMOUR AUSSI !
À QUOI ÇA SERT DE SE BATTRE
    CONTRE ELLE ?
CONTRE QUI ?
T'AS JUSTE À LA FLUSHER !
    T'ES À LA BONNE PLACE !
CHIENNE DE MORT !
WOUF ! WOUF !
QU'EST-CE QUE T'ATTENDS
    POUR TIRER LA CHAÎNE ?
NON ! TIRE LA CHIENNE !

Je prends mon feutre mauve.

Sur la cloison grise à la peinture écaillée, entre CHIENNE DE MORT et WOUF WOUF, j'ajoute un long graffiti :

LA MORT EST UN RENARD QUI JAPPE TANT QU'ON NE L'A PAS APPRIVOISÉ.

Je ne retourne pas en classe. J'ai un rendez-vous.

CHAPITRE 33

J'ai dit à l'infirmière de nous laisser seules.

Je vais fermer la porte, comme ça nous serons plus tranquilles.

N'aie pas peur, Solange. Respire, maman. Je t'aime, maman. Tu vas vas voir le magnifique sentier dont je t'ai parlé! Viens, maman, on va faire un bout de chemin ensemble, d'accord? Ne force pas, Solange. Doucement, très doucement. Allez, ma grande, on y va! Tu le savais, n'est-ce pas, qu'on la ferait ensemble, cette balade? Je t'aime, maman! Respire, maman. Oui, respire! Tu pars en voyage, ma belle! Vois-tu la lumière? Non, ne force pas. Concentre-toi sur cette lueur, là-bas, au bout du sentier. Ne crains rien, je t'accompagne.

S'il te plaît, petite Solange, ne t'inquiète pas pour moi, je connais le chemin du retour.

(à suivre, *LA CHAMBRE D'ÉDEN*)